JN086247

昆虫ハンター・牧田 習と
親子で見つける

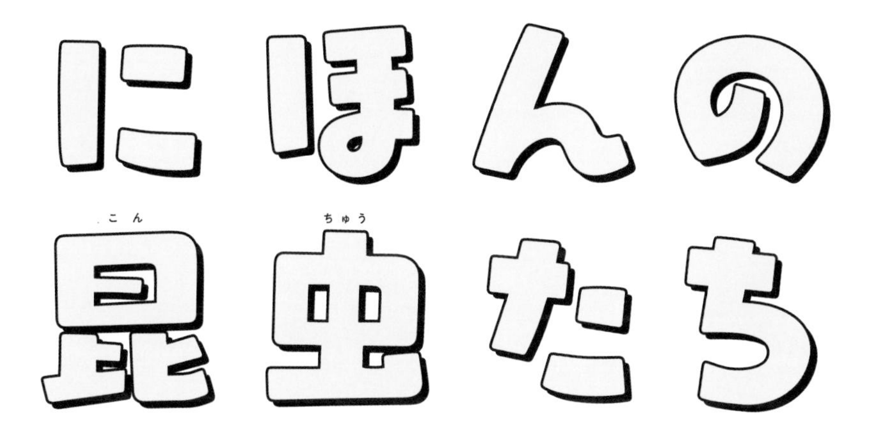

はじめに

はじめまして。昆虫ハンターの牧田習です。ここでは“しゅう先生”と呼んでください！ 現在ぼくは東京大学の大学院で学びながら、日本や海外を飛び回り、さまざまな昆虫を採集しています。そして、テレビに出演したりイベントを開いたりしながら、昆虫の魅力について発信しています。

この本は、ぼくがイチオシする昆虫たちを集めた図鑑です。この図鑑にのっている昆虫はぼくがこれまで出会ってきた中でも、みなさんにぜひ知ってほしい種類ばかり。身近な所で見つかる昆虫もいれば、遠い場所に行かないと見られない種類もいます。でも、ぼくに言わせればどれもとっても魅力的で愛らしい昆虫たちです（中には危険なものもありますけどね……）。

ぼくは3歳のころに昆虫に魅せられてから、今もなおずっと昆虫採集を続けています。昆虫採集は全然あきることがない趣味だと思います。しかもどこでだってできる！ 近くの公園をちょっと探すだけでさまざまな虫がいますからね。

もし、昆虫に興味を持って探してみたいと思ったら、ぜひこの図鑑をパラパラとめくってみてください。「この虫はこんな名前なんだ」「この虫は見つけるのが難しいのか」なんて思いながら、次にとってみたい昆虫をあれこれ想像してみてください。きっと昆虫採集がもっと楽しくなってくるはずです！

この世の中には本当にたくさんの虫がいます。この図鑑にない種類もたくさんあります。ぼくみたいに未知なる昆虫を追いかけるのもいいし、たくさんの種類を集めて標本を作るのもいい。もしくは家で飼ってみるのも楽しいですよね。虫とりではなくても、虫の写真を撮るのも素敵です。ぜひ、自分なりの昆虫の楽しみ方を見つけてくださいね！

もくじ

昆虫探索の服装・持ち物

フラッと近所の公園に行くだけで楽しめてしまうのが虫とりの魅力。
でも、草むらの中や森、水辺など、自然豊かな場所に入る時は、
安全にもっと楽しく虫とりするために、服装や持ち物に
気をつけておくことをおすすめします！

服装

長そでの上着

昆虫探索に行く時は、虫にさされたり、木の枝や葉などで皮ふが傷ついたりすることがあるので、真夏でも長そで・長ズボンを着ましょう。

長ズボン

デニム素材のズボンはあまりおすすめしません。やぶの中に入るとマダニが登ってくる可能性があるからです。ナイロン素材などシャカシャカとした素材のズボンがおすすめです。

長ぐつ

雨が降っていなくても水の中に入らなくても、長ぐつをはきましょう。思った以上に地面はぬかるんでいますし、やぶの中ではヘビにかまれるおそれがあるので、足首を出さないほうが安心です。

⚠ ゲンゴロウなど水中の昆虫を探す時は、大人の場合は「胴長」という長ぐつとズボンが一体化した服を着るとより深い場所にまで入っていけます。ただ、胴長の中に水が入ってしまうと身動きできず危険です。そのため、子どもがひとりで昆虫採集する時に胴長を着るのはやめましょう。

持ち物

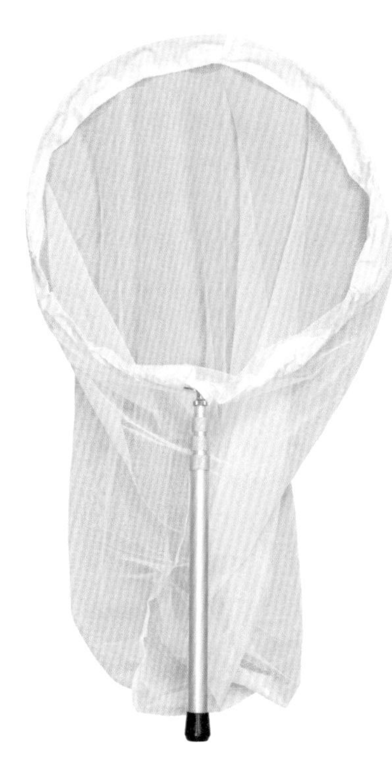

虫とり網

昆虫採集には欠かせない！写真は折りたたみ式のもので、たためばリュックの中にも入れられます。

タモ網

ゲンゴロウなど、水中の昆虫をとりたい時に使います。

虫かご

つかまえた虫を入れておく時に必要です。

ピンセット

穴の奥にいる虫を探し、取り出す時に使います。

ライト

夜の昆虫採集や穴の奥を探す時に必要です。

手ぐわ＆スコップ

土をほって虫を探したりトラップを仕掛ける時に使います。この形のものが便利ですが、よく市販されているタイプのスコップでも大丈夫です。土をほる前に場所のルールを必ず確認してください。

＼あると便利！／

虫よけスプレー

虫よけスプレーはあらかじめ体にかけておいて持ち歩き、必要に応じて使いましょう。地域によっては、クマよけスプレーがあると安心です。

手作り虫とりトラップの作り方

虫とり網を振り回すだけが虫とりではありません。時には、仕掛けで虫をおびき寄せることも。そこで、しゅう先生が普段使っている虫とりトラップの作り方を紹介します。どれも身の回りにある物で簡単に作れて、虫とりに活かせます！

落とし穴トラップ

●必要な道具

・プラスチックコップ
・サナギ粉 もしくはジュース（炭酸ジュース、カルピスなど）
・竹ぐし

※サナギ粉は釣り道具屋さんで入手できます。ジュースよりも虫が寄ってきやすいのでおすすめ

●ゲットできる昆虫

・オサムシ
・ゴミムシ
・センチコガネ　など

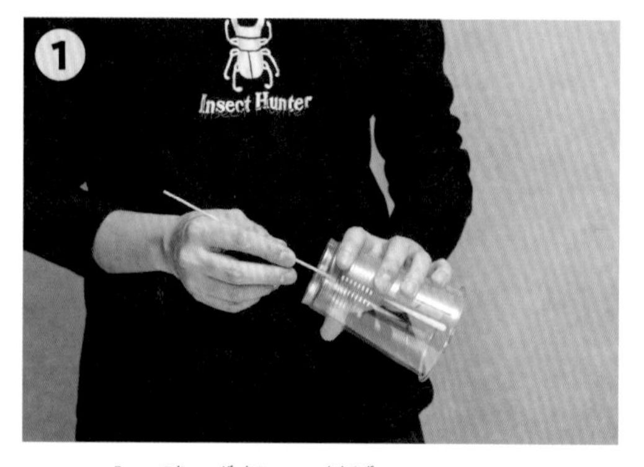

サナギ粉を使う場合は、雨水がたまらないようにプラスチックコップの底に竹ぐしをさして穴を開けます。ジュースの場合は穴は開けません。

トラップを仕掛けたい場所の地面に、コップがすっぽり入る深さの穴をほります。

穴にコップを入れ、サナギ粉やジュースをコップに注ぎます。

コップの底から1cmくらいの高さにまで注いだら、虫が落ちるのを待ちましょう。

※トラップを設置する前に、設置してもよいかを必ず土地の管理者に確認してください

フルーツトラップ

●必要な道具

・バナナやパイナップルなどのフルーツ　※黒く熟したバナナがおすすめ

・ストッキング

・黒糖　200g程度

・ビールなどのアルコール飲料　200cc程度

・チャック付きビニール袋

・（必要があれば）ひも

※アルコール飲料は必ず大人が購入し、子どもが口にしないよう大人と一緒に作ってください

●ゲットできる昆虫

・カブトムシ

・クワガタムシ

・コガネムシ

・タテハチョウ

など多数

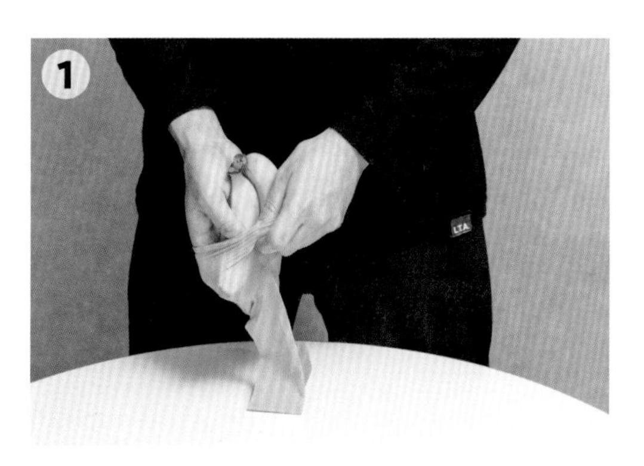

ストッキングの足先から30cmほどの場所で切り、中にフルーツを入れます。フルーツの皮はむかなくてOKです。

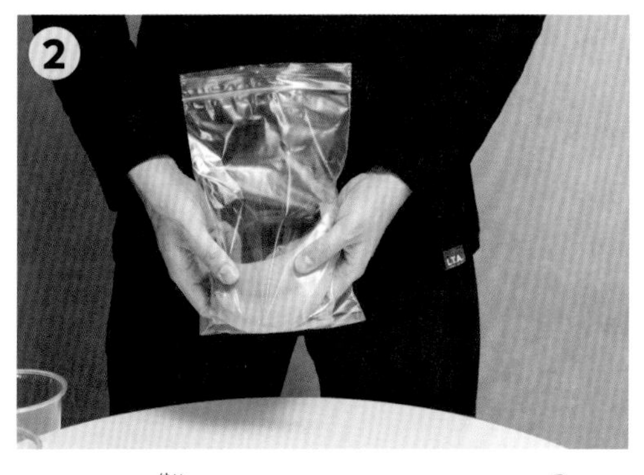

フルーツの入ったストッキングをチャック付きビニール袋に入れます。

ビニール袋に黒糖を入れます。

ビニール袋にビールを入れます。ビールは大人に注いでもらいましょう。

チャック付きビニール袋のチャックを閉め、フルーツをよくもみほぐして黒糖とビールにからめます。その後、ビニール袋からストッキング入りのフルーツを出し、木にぶらさげます。ぶら下げる時はストッキングの端を木にくくりつけるか、ひもを使います。

※トラップを設置する前に、設置してもよいかを必ず土地の管理者に確認してください

小型ライトトラップ

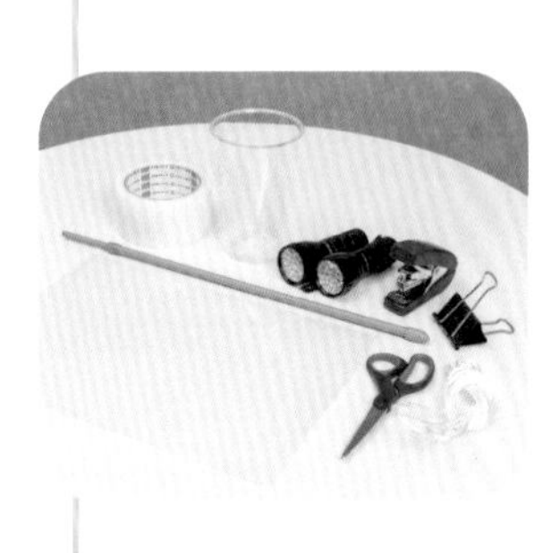

●必要な道具
- 小型ブラックライト 2個
- クリアファイル
- 支柱
- プラスチックコップ
- 大きいダブルクリップ 1～2個
- ホッチキス
- 養生テープ
- ひも
- はさみ

●ゲットできる昆虫
- クワガタムシ
- コガネムシ
- シデムシ
- カミキリムシ
- ガ類 など多数

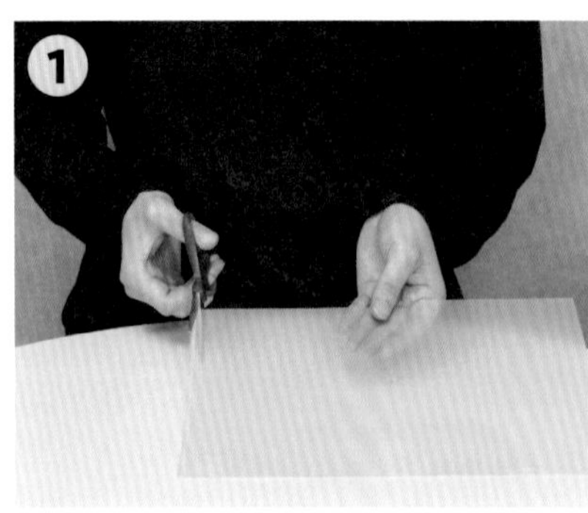

クリアファイルの下の部分をはさみで切って、広げます。

クリアファイルの横の部分を折り曲げ、支柱を通せるだけのすき間を空けてホッチキスで留めていきます。

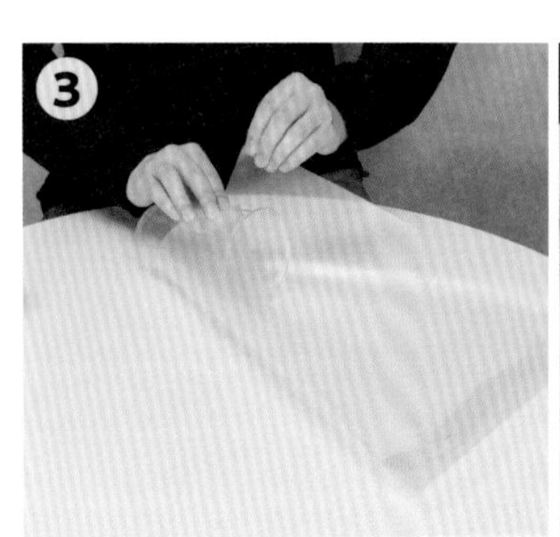

クリアファイルのホッチキスで留めなかったほうの辺にプラスチックコップを当て、クリアファイルを巻き付けてテープで留めます。

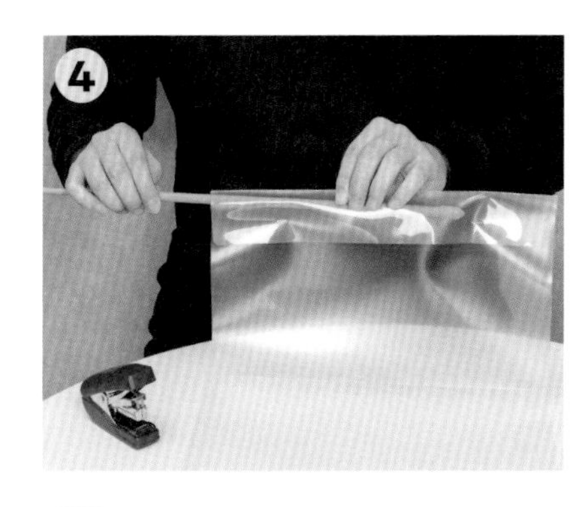

クリアファイルのホッチキスで留めたほうの辺に支柱を通します。

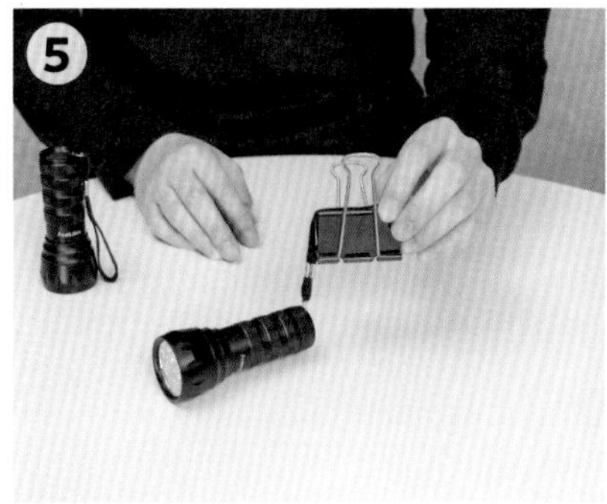

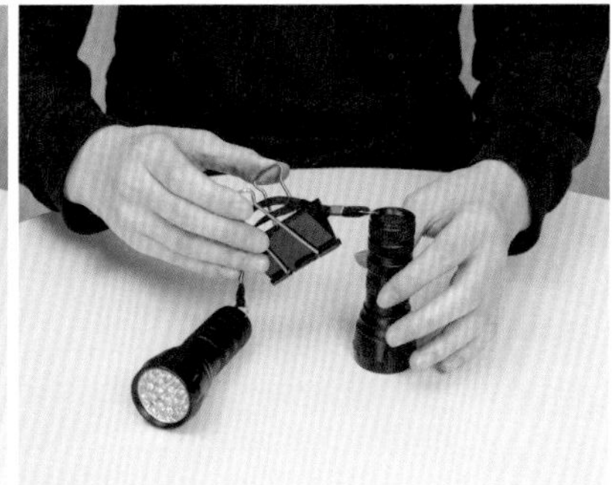

ダブルクリップにライトのひもをひっかけます。

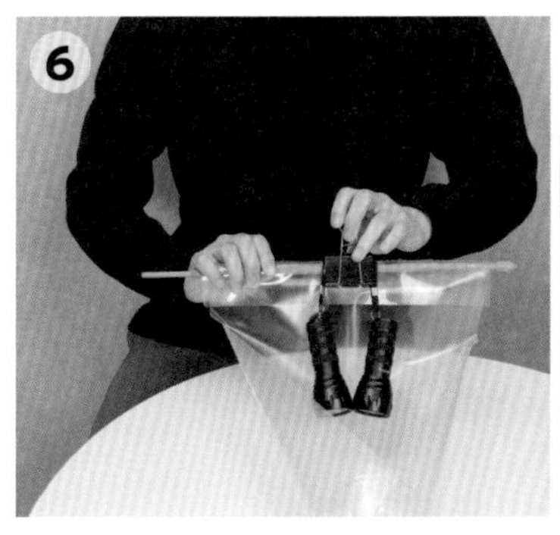

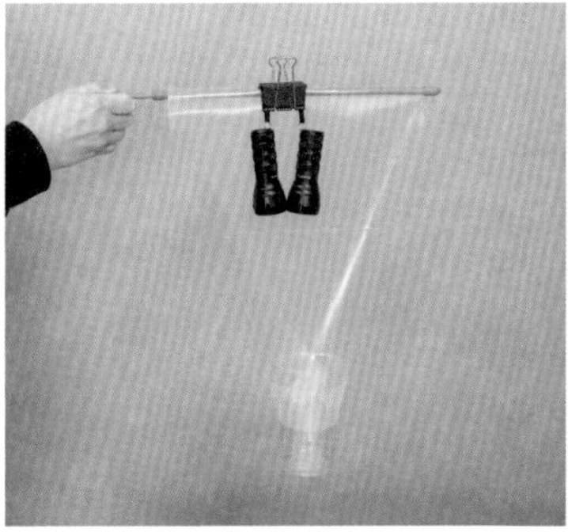

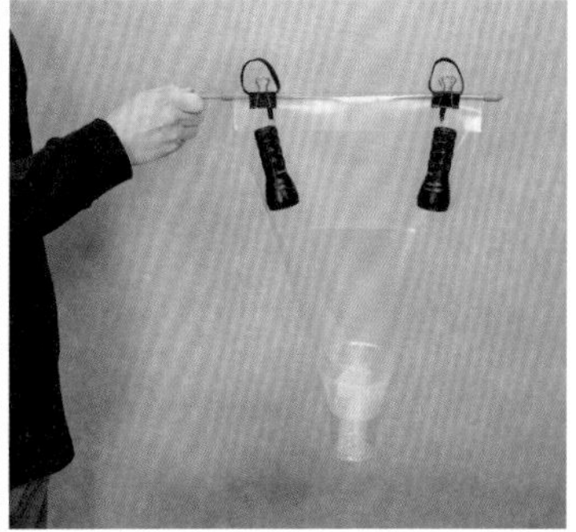

ダブルクリップで上から支柱をはさみ、ライトを固定します。クリップ１個に２個のライトをかけても、クリップを２個使って、それぞれにライトをかけてもOKです。

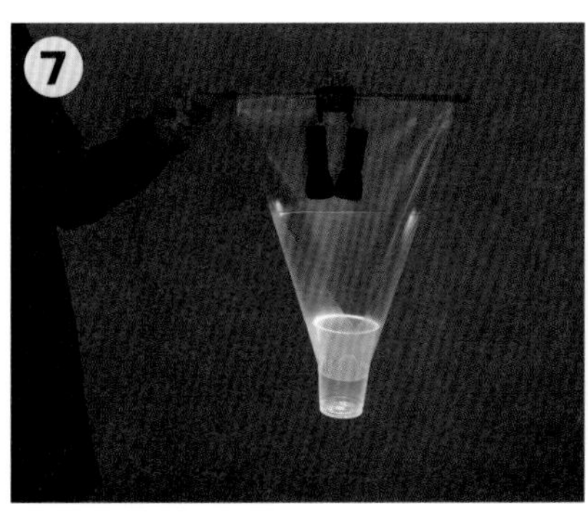

完成

木の枝にひもで吊るして、夜に設置。ライトをつければ完成！

※目や肌を傷めるので光を肉眼で直接見たり、間接的でも長時間見ないように。また、長時間光を浴びないように注意してください

ゲンゴロウペットボトルトラップ

●必要な道具
・ペットボトル
・とり肉
　30g程度
・カッター
・ペン
・水切りネット（ストッキングタイプ）※なくてもOK
・ひも

●ゲットできる昆虫
・ゲンゴロウ

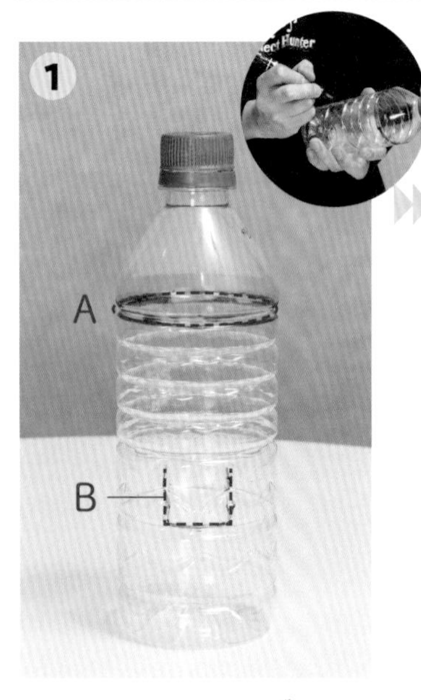

まずはペットボトルに図のようにペンで印（A,B）をつけます。この線の通りにカッターで切っていきます。

※カッターの扱いは十分に注意してください

カッターでペットボトルの頭の部分（A）を切り落とします。その後、本体の真ん中あたり（B）に切り込みを入れます。

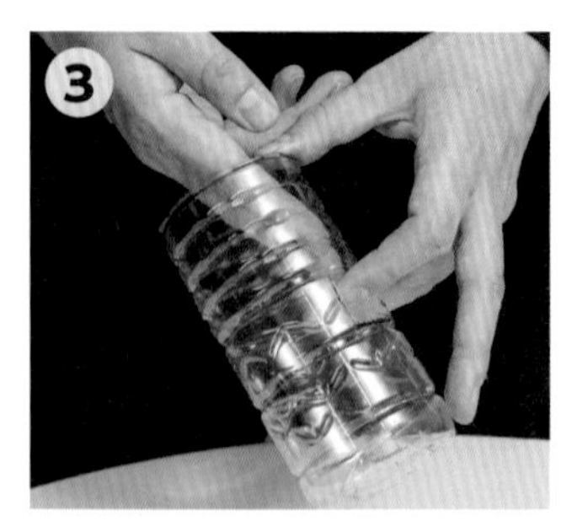

本体の切り込みは、上の切り離していない所を内側に折り曲げます。

水切りネットにとり肉を入れ、つぶします。その後、それをペットボトルの上から入れていきます。

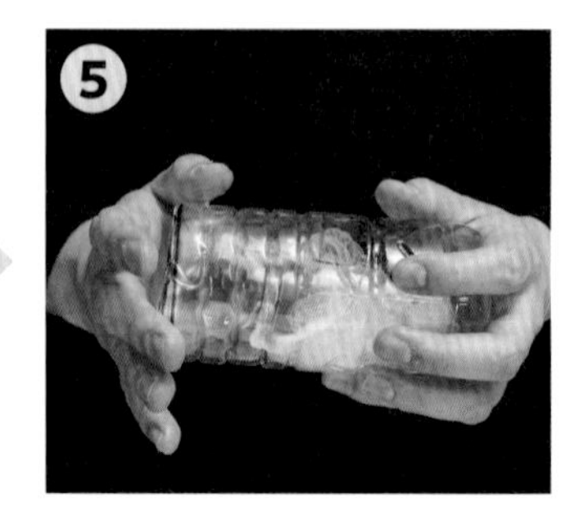

切り取ったペットボトルの頭部分を下向きにして、ペットボトル本体にはめ込んでふたをします。

できあがり。川岸にある木や支柱などにひもでくくりつけて、トラップだけ水中に入れるようにしておきます。

※トラップを設置する前に、設置してもよいかを必ず土地の管理者に確認してください

昆虫探索の心得

ルールを守って
楽しく虫とり
しようね！

・安全な服装で行こう

虫さされやケガをする危険がない服装、持ち物をそろえて行くのがおすすめ！

・昆虫探索に行く予定の場所ではどのようなルールなのか調べておこう

地域によっては、法律や条例で昆虫採集してはいけないと決められている場所があります。特に、樹皮をはがしたり、土をほったり、トラップを設置したりする行為を、ルールを守らず勝手にしてしまうと大きなトラブルにつながります。必ず、土地の管理者や自治体の窓口などに確認するようにしましょう。

・とってはいけない昆虫かどうかを確認しておこう

法律で採集が禁止されている昆虫がいます。また、ある地域では採集することができても、別の地域では採集が禁止されているという場合もあります。必ず、環境省や自治体のホームページなどでチェックするようにしましょう。

・危険な生き物には気をつけよう

昆虫を探しに行くと、毒を持つヘビやスズメバチの仲間、地域によってはクマに出会ってしまう可能性もあります。気づかないうちにマダニに血を吸われてしまうこともあるので、必ず危険生物の情報を事前に調べてから出かけるようにしましょう。

さあ、しゅう先生と昆虫を探しに出かけよう!

❶近所の公園に行くだけで虫とりは楽しめる。❷ターゲットを見つけたら、すぐに網を振ってみよう。❸草むらは絶好の虫スポット。じっくり探せば虫がかくれているはず。❹とてもきれいな緑色のアオマツムシ（P97）がとれた。見つけるとテンションが上がる！

網の振り方にもコツがある！
❶

ベンチの下には
アリやコオロギの
幼虫がいるよ

クロアゲハ発見！

❶網は上から振りかぶるか、横方向に振り回すか。ターゲットとの真剣勝負！ ❷ベンチの下の虫にも注目。ちょっと視点を変えるだけで新しい虫に出会える。❸網でつかまえた虫を確認する時間はとってもワクワクする！ ❹クロアゲハを発見。そっと羽の根元を指ではさむと傷つけにくいよ。

水辺
どこにいるかな？
川や池でも
たくさんの虫と出会えるよ

❶しゃがんで水辺をじっと観察すると、虫が見つかるかも。❷あのトンボをつかまえたい！トンボの動きを追跡中。❸網を振ってつかまえるぞ！❹水の中にも虫はいる。どんな虫がいるかな？❺シオカラトンボ（P90）のオスを見つけた。水色の胴体が美しい。

水辺
水中の昆虫も
探してみるぞ！
❶

❶網を川の中に入れて、水中の虫をつかまえよう。❷水中をじっくり観察。お目当ての昆虫は見つかるか!? ❸網を引き揚げてみたけれど、虫はつかまえられたかな？ ❹石の裏に虫がかくれていることも。くまなくチェックしてみよう。

森林
セミの抜け殻を発見！
❶
❷
葉の裏に虫はいるかな？
❸
林の中を歩くのは気持ちがいい

❶木の根元にはセミの抜け殻が。発見するとちょっとうれしい！❷葉の裏に虫がかくれていることもあるから、チェックは欠かせない。❸あたりに注意をはらいながら、虫探し散歩。❹木の幹にも樹液目当ての虫がいる。❺樹液が出ている所は虫のパラダイス。どこにいるのかじっくり探してみる。

森林
森の中は昆虫の宝庫
1
2

❶この枝には虫はいるかな？ ❷森の中は網を振り回すのが難しいけど、たくさんの種類の虫がいるからとても楽しい！ ❸見上げてみると、虫を発見。探しているだけでワクワクする。❹しゃがんでみると、思わぬ所に虫がいるかも。

昆虫図鑑の見方

P28から始まる図鑑の見方について紹介します。

季節の分類について

昆虫は季節で分けて掲載しています。春は３～５月、夏は６～８月、秋は９～11月、冬は12～２月です。年間を通じて見られる昆虫もいますが、しゅう先生の「この季節ならこの昆虫が見られる！」という基準で分類しました。

昆虫の情報

学名や分類、大きさや生息している地域について記しています。チョウ目の大きさについては、開張（羽を開いた時の値）です。

昆虫の写真

昆虫によってはオスとメスの姿が違うものもありますが、しゅう先生がより魅力的と思ったものを選んで掲載しています。

昆虫の実物大シルエット

昆虫のだいたい実物大のシルエットを掲載しています。

見つけられる場所

その昆虫が見つけられる可能性が高い場所をアイコンで示しています。

探索レベル

「レア度」は珍しさ、見つけやすさを示しており、星の数が多いほど珍しいです。「採集難易度」は生息している地域でのつかまえやすさを示しており、星の数が多いほどつかまえにくいです。

※P117からは昆虫の「危険度」を示しています

どんな特徴があるの？

昆虫の特徴や昆虫にまつわる知識をわかりやすく解説しています。

探索時のコツ

どこにかくれているのか、どんな場所に行くと見つけやすいのか、つかまえるコツなどを解説しています。

※P117からは「どう危ないの？」を掲載しています

「春の女神」と呼ばれる日本固有のチョウ

学名 *Luehdorfia japonica*

分類 チョウ目・アゲハチョウ科

開張 48～65mm

地域 本州

探索レベル

レア度 ★★★★★

採集難易度 ★★★★★

森林

どんな特徴があるの？

「春の女神」とも呼ばれ、見かけによらず意外と速く飛びます。幼虫はカンアオイなどを食べて成長し、成虫はカタクリやスミレの花にやってきます。年々数が減っており、日本各地で絶滅危惧種に指定されています。

探索時のコツ

ギフチョウが生息している森は限られていますが、今でも簡単に観察できる場所は少なからず存在します。観察する際は食草のカンアオイをふまないように注意しましょう！

しゅう先生が語る「愛らしポイント」

地域によって模様が異なるので、いろいろな場所で観察するとより楽しめます。そして、その魅力は美しい模様にとどまりません。春の森を飛ぶ姿は神秘的で虫が苦手な方でも好きになるはず！

28

しゅう先生が語る「愛らしポイント」

その昆虫の魅力や、その昆虫と出会った時のエピソードをしゅう先生に語ってもらいます。

1章

春に見られる昆虫

暖かく過ごしやすい気温になる季節。
さまざまな花が咲きはじめ、それにつられて
昆虫たちも活発に動き出します。

「春の女神」と呼ばれる日本固有のチョウ

ギフチョウ

学名	*Luehdorfia japonica*
分類	チョウ目・アゲハチョウ科
開張	48～65mm
地域	本州

森林

探索レベル
レア度 ★★★★★
採集難易度 ★★★★★

どんな特徴があるの？

「春の女神」とも呼ばれ、見かけによらず意外と速く飛びます。幼虫はカンアオイなどを食べて成長し、成虫はカタクリやスミレの花にやってきます。年々数が減っており、日本各地で絶滅危惧種に指定されています。

探索時のコツ

ギフチョウが生息している森は限られていますが、今でも簡単に観察できる場所は少なからず存在します。観察する際は食草のカンアオイをふまないように注意しましょう！

しゅう先生が語る「愛らしポイント」

地域によって模様が異なるので、いろいろな場所で観察するとより楽しめます。そして、その魅力は美しい模様にとどまりません。春の森を飛ぶ姿は神秘的で虫が苦手な方でも好きになるはず！

ふわふわ飛ぶ天使のようなチョウ

ウスバシロチョウ

学名 *Parnassius citrinarius*

分類 チョウ目・アゲハチョウ科

開張 50～60mm

地域 北海道、本州、四国

草地

探索レベル

レア度 ★★★★★

採集難易度 ★★★★★

どんな特徴があるの？

うすく白い羽が特徴のアゲハチョウの仲間。比かく的ゆっくり飛び、観察しやすいです。幼虫はムラサキケマンやエゾエンゴサクなどを食べ、成虫はハルジオンやヒメジョオンなどの花に集まります。チョウの中ではめずらしく、サナギになる時に繭を作ります。

探索時のコツ

天気の良い日にハルジオンやヒメジョオンなどの花に来ることが多いので、そーっと近づいて観察してみましょう！ 地域によっては個体数の減少が心配されているので、むやみにつかまえすぎないようにしてください。

しゅう先生が語る「愛らしポイント」

天気の良い日に気品あふれる白い羽で優雅に飛ぶ姿がまさに天使。よく見ると、体にフサフサの毛がたくさん生えていて、見ているだけでいやされます。

羽の表側は美しいブルー

ルリシジミ

学名　*Celastrina argiolus*

分類　チョウ目・シジミチョウ科

開張　23～33mm

地域　北海道、本州、四国、九州、沖縄

草地　公園

探索レベル

レア度　★★★★★

採集難易度　★★★★★

オス

メス

白地に黒の斑点

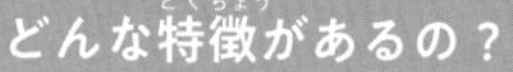

どんな特徴があるの？

羽の裏側は白地に黒い斑点のシックな模様なのですが、表側はとても美しい青色。この青色が名前の由来です。幼虫はマメ科やバラ科の葉を食べて、成虫はさまざまな種類の花に訪れます。

探索時のコツ

シジミチョウの中でも春の早い時期から晩秋までと長く出現し、日本各地で簡単に見つけられる種類です。日本だけはなく、アジア・ヨーロッパ・北米に広く分布しており、フィンランドでは国蝶に指定されています。

しゅう先生が語る「愛らしポイント」

羽の表側は宝石のような美しさなので、ぜひ観察してほしいです。花にとまる姿を見ていると、ゆっくりと羽を開きます。

オレンジ色の地に黒い水玉模様

ベニシジミ

学名 *Lycaena phlaeas*

分類 チョウ目・シジミチョウ科

開張 27～35mm

地域 北海道、本州、四国、九州

草地

探索レベル

レア度 ★★★★★

採集難易度 ★★★★★

どんな特徴があるの？

草むらでよく見られるオレンジと黒い斑点模様のシジミチョウ。幼虫はスイバやギシギシなどの葉を食べ、成虫はさまざまな花に訪れます。

探索時のコツ

草むらにはいろいろな種類のシジミチョウが生息していますが、このベニシジミはオレンジ色の模様を持つのでとても見つけやすいです。とまっているところを上から網でつかまえてみてください。

しゅう先生が語る「愛らしポイント」

成虫は春から秋まで観察することができますが、春に見られる成虫は、夏に見られる成虫よりもオレンジ色があざやかで美しいです。

フラワーエンジェル

トラフシジミ

学名 *Rapala arata*

分類 チョウ目・シジミチョウ科

開張 30～36mm

地域 北海道、本州、四国、九州

森林

探索レベル

レア度 ★★★★★

採集難易度 ★★★★★

どんな特徴があるの？

白と灰色のしま模様を持つことから、「トラフ」という名前がついたシジミチョウ。春から夏にかけて成虫が現れ、いろいろな種類の花に訪れます。幼虫もさまざまな種類の葉を食べます。

探索時のコツ

春から夏の天気の良い日に花に訪れている様子を観察してみましょう！ シジミチョウの仲間はアゲハチョウの仲間に比べて小さいので、見落とさないようによく注意して観察するのがおすすめです。

しゅう先生が語る

「愛らしポイント」

羽の裏側はしま模様ですが、表側はとても美しい水色です。太陽の光に当たるとより美しくかがやきます。

オスはレモンの香りがする

スジグロシロチョウ

学名 *Pieris melete*

分類 チョウ目・シロチョウ科

開張 50～60mm

地域 北海道、本州、四国、九州

草地 森林

探索レベル

レア度 ★★★★★

採集難易度 ★★★★★

どんな特徴があるの？

モンシロチョウによく似ていますが、羽に黒い筋があるのが特徴です。幼虫はタネツケバナやハタザオを食べて成長し、成虫はさまざまな種類の花に集まります。春に現れる個体より、夏に現れる個体のほうが羽の黒い筋が大きいです。

探索時のコツ

日本だけではなく、アジア各地に生息し、簡単に見つけることができます。モンシロチョウと同じように草むらに現れますが、少し森っぽい環境を好むため、山間で見かけた場合はスジグロシロチョウである可能性が高いです。

しゅう先生が語る

「愛らしポイント」

一見、白と黒の模様のチョウなのですが、オスはなんとレモンの香りがします。これはメスをおびき寄せるためのフェロモンです。つかまえたら、ぜひにおいをかいでみてください。

春のおなじみの白い蝶

モンシロチョウ

学名	*Pieris rapae*
分類	チョウ目・シロチョウ科
開張	45～60mm
地域	北海道、本州、四国、九州、沖縄

草地

公園

農地

レア度 ★★★★★

採集難易度 ★★★★★

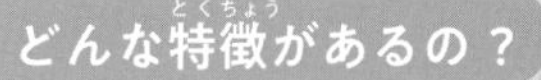

日本で最も有名なチョウのひとつ。学校で飼育したことのある人もいるかも!? 春から秋まで身近な場所でも見ることができます。幼虫はキャベツなどのアブラナ科の葉を食べて成長し、成虫はさまざまな種類の花の蜜を吸います。

探索時のコツ

公園や畑などあらゆる場所で見つけることができます。姿を見ると「春が来たな」と実感する人も多いのではないでしょうか。飛ぶのも速くなく、どちらかといえばつかまえやすいです。どんな花にとまるかを観察してみるのもおすすめ。

春から秋まで見られます。春に現れる個体のほうが夏に現れる個体よりも黒い模様が少なく、少し小さくてかわいらしいです。

オスとメスで色がちがう

モンキチョウ

学名 *Colias erate*

分類 チョウ目・シロチョウ科

開張 45～50mm

地域 北海道、本州、四国、九州、沖縄

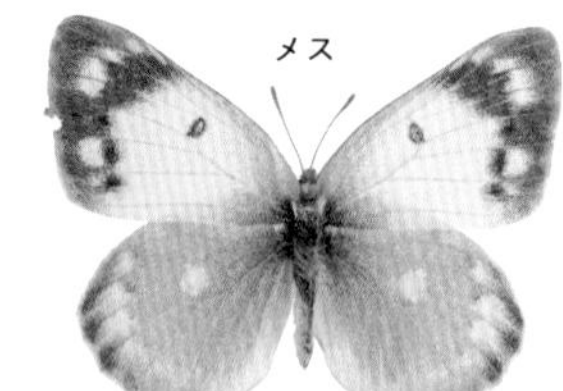

草地

河川敷

公園

探索レベル

レア度 ★★★★★

採集難易度 ★★★★★

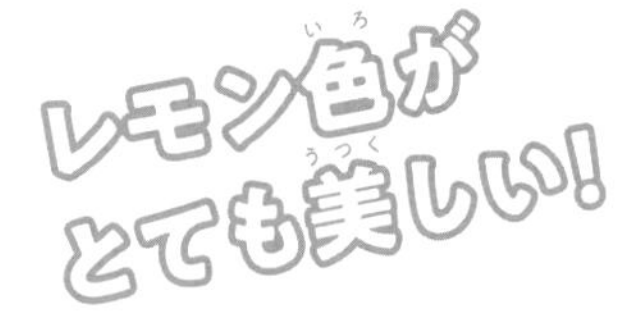

どんな特徴があるの？

黄色い地に黒い点がある羽を持つチョウ。羽のふちには黒い模様があり、春から秋まで見ることができます。幼虫はシロツメクサなどのマメ科の植物を食べて成長し、成虫はさまざまな種類の花によく集まります。

探索時のコツ

草むらや公園、河川敷、畑などさまざまな場所で見つけることができます。飛ぶのも早すぎないので、初心者でも簡単にとることができます。

しゅう先生が語る「愛らしポイント」

オスとメスで色がちがい、オスは黄色いのですが、メスは白い個体が多いです。さらによく見ると、個体によっても模様が少しずつちがいます。これもとても面白いポイントだと思います。

羽の先がとんがった形

ツマキチョウ

学名	*Anthocharis scolymus*
分類	チョウ目・シロチョウ科
開張	40～50mm
地域	北海道、本州、四国、九州

オス

メス

草地　森林　公園

レア度 ★★★★★
採集難易度 ★★★★★

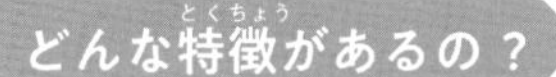

春の早い時期から現れる小型のチョウ。幼虫はアブラナ科の植物を食べて成長し、成虫はさまざまな種類の花に訪れます。少しモンシロチョウと似ていますが、羽の先がとがっています。オスとメスで模様が異なり、オスは羽の先がオレンジ色になり、メスは白と黒色になっています。

探索時のコツ

3月くらいの、まだ他のチョウが活発に動いていない寒い時期から見ることができます。モンシロチョウ（P33）とよく似ているものの、モンシロチョウよりも体が小さいので、飛んでいる姿も見分けることができます。

花にとまっている時に見える後ろ羽の裏側は、まるでコケのような緑色の模様。この模様がカッコいいんです！

テングチョウ

学名　*Lybythea lepita*

分類　チョウ目・タテハチョウ科

開張　40～50mm

地域　日本全国　※北海道については近年生息の記録がありません

森林

探索レベル

レア度　★★★★★

採集難易度　★★★★★

裏から見ると落ち葉にそっくり！

どんな特徴があるの？

天狗のように成虫の頭の先がとがっていることからこの名前が付けられました。幼虫はエノキを食べて成長し、成虫はさまざまな花にやってきます。

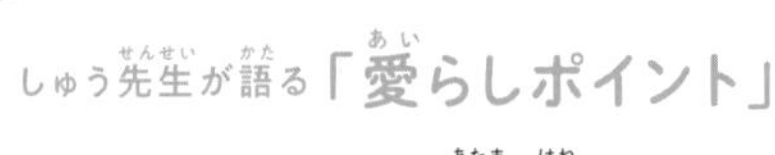

なんといってもとがった頭と羽のオレンジ色がカッコいいです！

探索時のコツ

飛ぶのが比かく的速いチョウ。しかし、すぐ地面にとまるので、まずはテングチョウがとまるまで待ち、とまったところを後ろから網でとらえてみましょう。羽を閉じると、落ち葉そっくりなので、観察する際は見失わないように！

春に現れる大型のガ

イボタガ

学名 *Brahmaea japonica*

分類 チョウ目・イボタガ科

開張 80～120mm

地域 北海道、本州、四国、九州

探索レベル

レア度 ★★★★★

採集難易度 ★★★★★

どんな特徴があるの？

春に現れる大型のガです。羽の模様がかなり独特で、目のような模様があります。フクロウに擬態して小鳥やネズミなどの天敵から身を守っているという説もあり、英名ではフクロウガ（Owl moth）といいます。幼虫はイボタノキなどを食べて成長します。

探索時のコツ

春の夜に灯りに集まることが多いので、山間の街灯などをよく探してみましょう。夜、灯りに飛んできた個体が昼間にそのまま残っていることもあります。

しゅう先生が語る「愛らしポイント」

日本中の他のガと比べても似た種類がいない、特徴的な模様を持つところに魅力を感じます。初めて野生で見た時はとっても感動しました！

日本最大のスズメガ

オオシモフリスズメ

学名　*Langia zenzeroides*

分類　チョウ目・スズメガ科

開張　130～160mm

地域　本州、四国、九州

森林

探索レベル

レア度　★★★★★

採集難易度　★★★★★

どんな特徴があるの？

早春に現れる大型のガで、日本に生息するスズメガの仲間では最大。幼虫はソメイヨシノやウメなどを食べて成長します。夜の森を素早く飛びます。鳴くガとして知られ、幼虫・成虫どちらも刺激を受けると鳴きます。

探索時のコツ

春の夜、灯りに飛んでくる個体を探してみましょう。生息地は限られていますが、ソメイヨシノがたくさん生えている豊かな西日本の森だと見つけることができるかも!?

しゅう先生が語る「愛らしポイント」

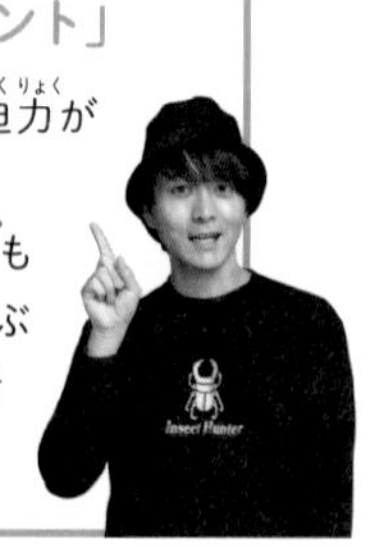

手でつかんだ時の迫力が凄まじいです。キィキィと音を出し、力も強いです。素早く飛ぶので、網で追いかけるのは結構大変！

モモの枝をチョキンと切っちゃう

モモチョッキリ

学名　*Rhynchites heros*

分類　コウチュウ目・オトシブミ科

体長　7～11mm

地域　北海道、本州、四国、九州

農地　森林

探索レベル

レア度　★★★★★

採集難易度　★★★★★

どんな特徴があるの？

赤紫色にかがやく美しいオトシブミの仲間です。モモやナシなどに集まって、実の中にメスが卵を産み、その名の通りチョキンと枝を切ります。そして幼虫はその実を食べて成長します。果樹園では害虫です。

探索時のコツ

モモやナシが植えられている果樹園などにいます。ただし、探索する場合は必ず畑や果樹園の管理者に入る許可を取るようにしましょう。

しゅう先生が語る「愛らしポイント」

オトシブミの仲間は美しい種類が多いのですが、その中でも、一際目立つ存在です。ぼくは初めて見つけた時、うれしさのあまり手がふるえて落としてしまい、その後とっても後悔しました。

北海道の「歩く宝石」

オオルリオサムシ

学名　*Carabus gehinii*

分類　コウチュウ目・オサムシ科

体長　21～38mm

地域　北海道

森林

探索レベル

レア度　★★★★★

採集難易度　★★★★★

どんな特徴があるの？

北海道に生息する美しいオサムシで、「歩く宝石」とも呼ばれています。個体によって、青・赤・黄・緑など色のバリエーションがとても豊かです。

探索時のコツ

オサムシの仲間は飛ぶことができない種類が多いので、落とし穴トラップでとることができます。地面にプラスチックコップをうめて、落とし穴トラップ（P8）を仕掛けてみましょう。なお、自然界に設置したトラップは回収を忘れずに！

しゅう先生が語る「愛らしポイント」

森の中で生きているオオルリオサムシはまさに宝石そのもので、初めて見た時は手がふるえました。北海道内でも地域によって色や形が異なるのも面白いです。

オレンジと黒のツートンカラー

カエデノヘリグロハナカミキリ

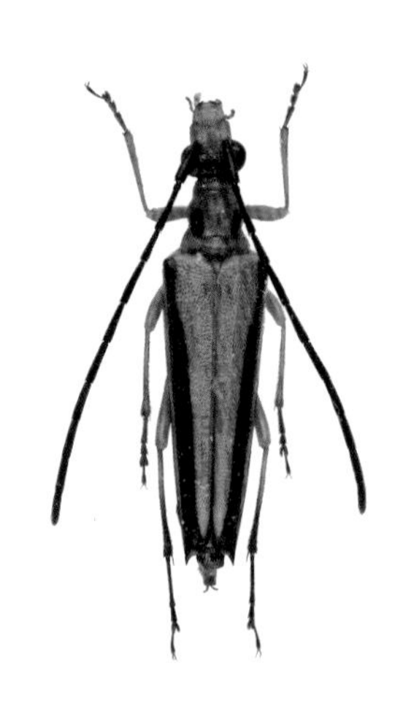

学名 *Eustrangalis distenioides*

分類 コウチュウ目・カミキリムシ科

体長 14～18mm

地域 北海道、本州、四国、九州

森林

探索レベル

レア度 ★★★★★

採集難易度 ★★★★★

どんな特徴があるの？

オレンジと黒色の細長いカミキリムシ。肩はばが広く、羽の先に向かって細くなっていく形をしています。幼虫はセンノキやタラノキ、カエデなどを食べて成長し、成虫は春にカエデなどの花にやってきます。

探索時のコツ

春の山地で、カエデなどの花に来ていないかよく探してみましょう。

しゅう先生が語る「愛らしポイント」

ぼくが初めて見つけたのは、早春に腐った木の中で羽化していた個体を、たまたま見つけた時でした。ものすごく運が良かったです。

タンポポの妖精

カラフトトホシハナカミキリ

学名 *Brachyta sachalinensis*

分類 コウチュウ目・カミキリムシ科

体長 11～13mm

地域 北海道

森林

探索レベル

レア度 ★★★★★

採集難易度 ★★★★★

どんな特徴があるの？

黄色の地に黒い斑点のあるカミキリムシで、北海道に生息しています。春にタンポポなどに集まる習性があり、花粉を食べます。

探索時のコツ

晴れた日の午前中、森の小道のわきなどに生えているタンポポをよく探してみましょう。いつのまにか現れていることがよくあります。

しゅう先生が語る「愛らしポイント」

ぼくが北海道に住んでいたころに、見つけてうれしかったカミキリムシのひとつです。本州では見ることができないので、実際に目にした時は感動しました。

ゲンゴロウとは一味ちがう！
大型の水生昆虫

ガムシ

学名　*Hydrophilus acuminatus*

分類　コウチュウ目・ガムシ科

体長　33～40mm

地域　北海道、本州、四国、九州、沖縄

水辺

探索レベル

レア度　★★★★★

採集難易度　★★★★★

黒光りするボディがかっこいい！

しゅう先生が語る「愛らしポイント」

とにかく大きくて存在感があります。網に入った時にモゾモゾ動いている様子もかわいらしいです！

どんな特徴があるの？

真っ黒な体を持つ水生昆虫です。成虫は主に藻や水草などを食べていますが、幼虫は小さな貝類を食べる習性があります。

探索時のコツ

タモ網を持ち、長ぐつをはいて水辺をよく探してみましょう。水生植物がよく生えている池などで観察することができます。灯りに飛んでくることもあります。

ゲンゴロウ

学名 *Cybister chinensis*

分類 コウチュウ目・ゲンゴロウ科

体長 34～42mm

地域 北海道、本州、四国、九州

レア度 ★★★★★

採集難易度 ★★★★★

ゲンゴロウは「ナミゲンゴロウ」「ホンゲンゴロウ」「オオゲンゴロウ」などと呼ばれることもあります。黒緑色の体に黄色い模様があります。各地で絶滅危惧種に指定されています。

探索時のコツ

見つけるのは本当に難しいです。北海道や東北などでは比かく的まだ見つけることができますが、それでも数は減っています。

目がくりくりしているところや泳ぐ姿がかわいいし、色合いも美しい！ ぼくが最も好きな昆虫です。

モドキだけどれっきとしたゲンゴロウ

ゲンゴロウモドキ

学名	*Dytiscus dauricus*
分類	コウチュウ目・ゲンゴロウ科
体長	30～36mm
地域	北海道、本州

水辺

探索レベル

レア度 ★★★★★

採集難易度 ★★★★★

どんな特徴があるの？

「モドキ」と付きますが、れっきとしたゲンゴロウの一種で、国内では北日本に分布しています。ゲンゴロウに比べて、少し小型で平べったいです。また、頭にV字の模様があります。

探索時のコツ

北海道や本州のさまざまな池や沼で探してみましょう。森の中の一時的にできた水たまりのような場所などで見かけることも多いです。

しゅう先生が語る「愛らしポイント」

ぼくはゲンゴロウの中でも平ためな種類が好きなので、ゲンゴロウモドキは大好きです。特に背中に筋があるメスの個体はカッコよくて、見ているだけでほれぼれします。

黄色いラインがトレンドマーク

シマゲンゴロウ

学名	*Hydaticus bowringii*
分類	コウチュウ目・ゲンゴロウ科
体長	12～14mm
地域	北海道、本州、四国、九州

水辺

探索レベル

レア度 ★★★★★

採集難易度 ★★★★★

どんな特徴があるの？

黒に黄色のしま模様が特徴的な中型のゲンゴロウ。主に田んぼなどで見ることができますが、近年はその数が激減しています。弱った魚などを食べています。

探索時のコツ

自然豊かな環境が残されている場所の田んぼなどを探してみましょう。網に黄色い模様のゲンゴロウが入ったのを見ると、きっと心がおどるはず！

しゅう先生が語る「愛らしポイント」

中型ゲンゴロウ界のスター的な存在だと思っています。丸っこさ・色あざやかさ・動きのかわいさなど、魅力がたっぷりすぎる！

その名の通りまん丸ボディ

マルガタゲンゴロウ

学名 *Graphoderus adamsii*

分類 コウチュウ目・ゲンゴロウ科

体長 12～15mm

地域 北海道、本州、四国、九州

水辺

探索レベル

レア度 ★★★★★

採集難易度 ★★★★★

どんな特徴があるの？

灰色と黄色の中型のゲンゴロウ。池や沼に生息しますが、数は減ってきていて、各地で絶滅危惧種に指定されています。

探索時のコツ

田んぼなどに生息しています。特に農薬があまり使われていない昔ながらの環境が残っているような田んぼで探してみましょう。

しゅう先生が語る「愛らしポイント」

その名の通り、とにかく丸っこい！ピチピチ動き回る姿もかわいいです。

春を告げる甲虫

ジョウカイボン

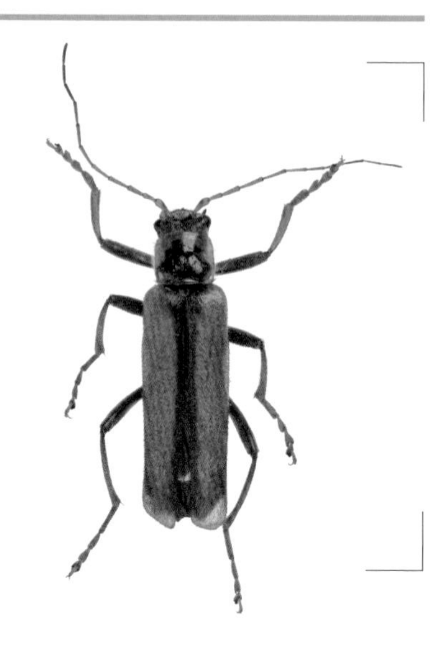

学名 *Lycocerus suturellus*

分類 コウチュウ目・ジョウカイボン科

体長 14～18mm

地域 北海道、本州、四国、九州

森林

探索レベル

レア度 ★★★★★

採集難易度 ★★★★★

どんな特徴があるの？

カミキリムシに似ていますが、カミキリムシではなく、「ジョウカイボン」という仲間です。茶色の体を持ち、小さな昆虫などを食べ、さまざまな花にやってきます。

探索時のコツ

春の森を散策していると出会うことが多いです。花を網ですくうと簡単にとれることがあります。

しゅう先生が語る「愛らしポイント」

春の森を盛り上げてくれる存在です。ジョウカイボンを手に乗せると、春が来たことを実感します。

ジャンボテントウムシ

カメノコテントウ

学名 *Aiolocaria hexaspilota*

分類 コウチュウ目・テントウムシ科

体長 8～12mm

地域 北海道、本州、四国、九州

森林

河川敷など

探索レベル

レア度 ★★★★★

採集難易度 ★★★★★

どんな特徴があるの？

みんなが想像するテントウムシよりも、ふた回りくらい大きい大型のテントウムシ。赤と黒の模様を持ち、ハムシ類を食べる習性があります。テントウムシの仲間はおどろくと、脚の関節からオレンジ色のくさい液体を流しますが、カメノコテントウは前胸にある目のような部分から赤い液体を流すので、まるで血の涙のように見えます。

探索時のコツ

クルミ類やヤナギ類につくハムシ類を食べる習性があるため、カメノコテントウもクルミやヤナギの木にいることが多いです。木の周りを網で探してみましょう。

しゅう先生が語る「愛らしポイント」

とにかく大きい！ 見ればきっとあなたのテントウムシのイメージをいい意味でこわしてくれるはずです。

点が大量なテントウムシ

ニジュウヤホシテントウ

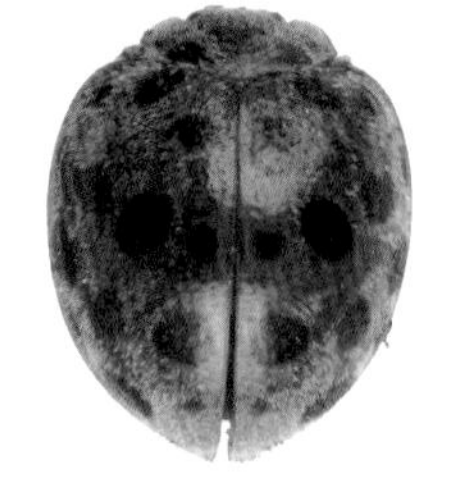

学名	*Henosepilachna vigintioctopunctata*
分類	コウチュウ目・テントウムシ科
体長	5～7mm
地域	本州、四国、九州、沖縄

農地

探索レベル

レア度 ★★★★★

採集難易度 ★★★★★

どんな特徴があるの？

オレンジ色に黒い点の模様を持つテントウムシ。草食でナスやジャガイモなどのナス科の植物の葉を食べるため、害虫としてあつかわれることが多いです。テントウムシダマシとも呼ばれています。

探索時のコツ

ナスやジャガイモが植えられている畑で探してみましょう。きっと葉にとまっている姿が観察できるはずです。

しゅう先生が語る「愛らしポイント」

ナナホシテントウに比べ、くすんだ色をしています。ナナホシテントウは益虫として愛されていますが、害虫のニジュウヤホシテントウはきらわれがち。優しくしてあげてほしいです。

青く かがやく体を持つ

ハンノキハムシ

学名 *Agelastica coerulea*

分類 コウチュウ目・ハムシ科

体長 6～8mm

地域 北海道、本州、四国、九州

森林

河川敷など

探索レベル

レア度 ★★★★★

採集難易度 ★★★★★

どんな特徴があるの？

青く美しい体を持つハムシの一種。その名の通り、ハンノキはじめ、ヤナギ科やカバノキ科の植物の葉を食べます。

探索時のコツ

河川敷などでハンノキやヤナギが生えていたら、葉っぱにかくれていないか注意して見てみましょう。きっと青くかがやく姿がそこにあるはずです。

しゅう先生が語る
「愛らしポイント」

宝石のように美しい体を持ち、光を当てるとその美しさがよくわかります。しかしながら、時代はその魅力にまだ気づいていないようです……。

オレンジに黒の縦模様を持つハムシ

ヤナギハムシ

学名 *Chrysomela vigintipunctata*

分類 コウチュウ目・ハムシ科

体長 7～9mm

地域 北海道、本州、四国、九州

河川敷など

探索レベル

レア度 ★★★★★

採集難易度 ★★★★★

どんな特徴があるの？

オレンジ色の地に黒色の縦型の斑点模様を持つハムシの一種。その名の通り、ヤナギの葉を食べる習性があります。模様は個体によって少しずつ異なっていることもあって、比べてみると面白いです。

探索時のコツ

河川敷などに生えているヤナギを見つけたら、このヤナギハムシもいないかよく探してみましょう。

しゅう先生が語る
「愛らしポイント」

初めて見つけた時、その模様が日本の昆虫っぽくなくて、とても新鮮でした。しかし、れっきとした日本の昆虫なんです。

清流をヒラヒラ舞うトンボ

ニホンカワトンボ

学名 *Mnais costalis*

分類 トンボ目・カワトンボ科

体長 48～64mm

地域 北海道、本州、四国、九州

水辺

探索レベル

レア度 ★★★★★

採集難易度 ★★★★★

どんな特徴があるの？

細い体を持つカワトンボの一種。清流に生息しており、オスは地域や個体によって羽の色がオレンジ色のタイプのものもいます。メスは基本的に透明の羽を持っています。

探索時のコツ

自然豊かな清流の周りなどで飛んでいないか探してみましょう。絶滅危惧種に指定されている地域もあります。

しゅう先生が語る「愛らしポイント」

色合いやその形が品格高いトンボのオーラをかもし出しています。カワトンボの仲間を見たことない人が初めて見ると、びっくりするかもしれません。

2章

夏に見られる昆虫

夏休みに入り、みなさんも昆虫を探しに
出かける機会が増える時期なのでは？
水分補給はしっかり行ってくださいね。

水色のラインが印象的

アオスジアゲハ

学名 *Graphium sarpedon*

分類 チョウ目・アゲハチョウ科

開張 55～65mm

地域 本州、四国、九州、沖縄

市街地 公園

素早く飛び回る！

探索レベル

レア度 ★★★★★

採集難易度 ★★★★★

どんな特徴があるの？

黒と水色の模様が特徴的なアゲハチョウの仲間。素早く飛ぶため、じっくりと観察しにくいです。幼虫はクスノキ科の植物を食べて成長し、成虫はさまざまな花に集まります。また、オスは水辺やしめった泥に集まって水を吸うこともあります。

探索時のコツ

街中でも多く見られますが、素早く飛ぶため、どこかにとまるまで待ってみましょう。特に水辺などでは集団で水を吸っていることもあるので、ぜひ観察してみてください。

しゅう先生が語る「愛らしポイント」

実物の水色模様の羽はとても美しいです。最初はつかまえるのに苦労しましたが、動きのパターンが分かってくると簡単に網でとれるようになります。

日本で最も有名なおなじみのチョウ

ナミアゲハ

学名	*Papilio xuthus*
分類	チョウ目・アゲハチョウ科
開張	65～90mm
地域	北海道、本州、四国、九州、沖縄

市街地

公園

森林

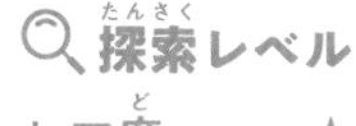

レア度 ★★★★★

採集難易度 ★★★★★

どんな特徴があるの？

「アゲハ」や「アゲハチョウ」とも呼ばれています。おそらくだれしもが一度はその名前を聞いたことがあるチョウで、多くの人に慣れ親しまれています。幼虫はミカン科の植物を食べて成長し、成虫はさまざまな花に集まります。

探索時のコツ

街中や公園など、多くの場所で観察できます。特にミカン畑などでは幼虫もふくめて観察できるので、チェックしてみてください！

しゅう先生が語る「愛らしポイント」

どこにでもいるようなナミアゲハですが、実は沖縄県ではめずらしいです。しかし、ぼくが中学2年生の時に初めて石垣島で本格的に昆虫探しをし、最初に出会ったチョウが本州ではおなじみのナミアゲハだったので、なんとも複雑な気持ちになりました。

エメラルドグリーンの美しい羽を持つ

ミヤマカラスアゲハ

学名　*Papilio maackii*

分類　チョウ目・アゲハチョウ科

開張　80～130mm

地域　北海道、本州、四国、九州

森林

探索レベル

レア度　★★★★★

採集難易度　★★★★★

チョウ好きには大人気の種類

どんな特徴があるの？

黒い羽に青緑色の美しい模様を持つアゲハチョウ。夏に現れる個体のほうが春に現れる個体に比べて大型になります。幼虫はミカン科の植物を食べて成長し、成虫は主にツツジ類やアザミの花の蜜を吸います。しめった地面にとまって水を飲むこともあります。

探索時のコツ

山の中の林道を歩いていると、日当たりの良い場所などに不意に飛び出してくることがあります。しかし、一度網を振って逃げられると警戒されてつかまえにくくなるので、一発でゲットしましょう。

しゅう先生が語る「愛らしポイント」

日本に生息するアゲハチョウの中でも最も美しい種類と言えるのではないでしょうか。青緑色が濃い個体の羽に太陽の光が当たっている様子は神秘的です。個体によって黒っぽいものから緑っぽいものまで、色や模様がバラエティ豊かです。

後ろ羽の白い模様が特徴的

モンキアゲハ

学名 *Papilio helenus*

分類 チョウ目・アゲハチョウ科

開張 100～120mm

地域 北海道、本州、四国、九州、沖縄

市街地　公園　森林

探索レベル

レア度 ★★★★★

採集難易度 ★★★★★

どんな特徴があるの？

黒い羽に白い模様を持つ大型のアゲハチョウ。主に夏に多く見られます。幼虫はミカン科の植物を食べて成長し、成虫は花壇などさまざまな種類の花にやってきます。

探索時のコツ

夏にいろいろな種類の花にやってくるので、とまったところをねらって網でゲットしてみましょう。街中や公園でも簡単に見つけることができるはず！

しゅう先生が語る「愛らしポイント」

日本のアゲハチョウの中では最大で、ものすごい迫力です。つかまえた時の達成感もすごいので、みんなに味わってほしいです。

白黒のまだら模様

ゴマダラチョウ

学名 *Hestina persimilis*

分類 チョウ目・タテハチョウ科

開張 60～85mm

地域 北海道、本州、四国、九州

森林　公園

探索レベル

レア度 ★★★★★

採集難易度 ★★★★★

どんな特徴があるの？

黒地に白い斑点が散りばめられた羽を持つ中型のチョウです。雑木林に多く生息しており、成虫が樹液にやってきている様子を見かけることが多いです。オスは地上で給水することもあります。幼虫はエノキの葉を食べて成長します。

探索時のコツ

昼間にカナブンや他の昆虫とともに樹液に集まっている様子を観察することが多いです。とまっているところをそーっと網でおおいかぶせるようにして、つかまえてみてください。

しゅう先生が語る「愛らしポイント」

オオムラサキ（P54）と生態が似ていますが、オオムラサキに比べるとさまざまな森で見かけることができます。身近な場所にいることも多いので、ぜひ探してみてください。

日本の国蝶

オオムラサキ

学名　*Sasakia charonda*

分類　チョウ目・タテハチョウ科

開張　75～100mm

地域　北海道、本州、四国、九州

探索レベル

レア度　★★★★★

採集難易度　★★★★★

オス

メス

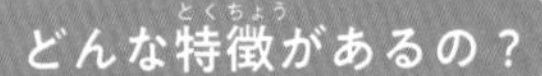

大型のタテハチョウで、1957年に日本の「国蝶」に指定されました。青紫色の美しい羽を持ち、見ているだけでほれぼれします。なお、メスよりもオスのほうが羽の青紫色があざやかです。幼虫はエノキを食べて成長し、成虫は樹液に集まる習性があります。

探索時のコツ

夏に自然豊かな雑木林で探してみると、成虫が樹液にやってきているところを観察できるかもしれません。しかし、大きな音や振動などを立てるとにげられてしまうので、慎重に。冬場は、幼虫がエノキの木の下の落ち葉にいる様子を観察することができます。

しゅう先生が語る「愛らしポイント」

意外とつかまえるのが難しいチョウ。最初は何度もにがしてしまったのですが、ようやく苦労して網に入れることができた時はうれしかったです。

青白い大きな羽で夜を舞う

オオミズアオ

学名 *Actias aliena*

分類 チョウ目・ヤママユガ科

開張 80～120mm

地域 北海道、本州、四国、九州

探索レベル

レア度 ★★★★★

採集難易度 ★★★★★

オス

メス

オスは触角がフサフサ

青白い羽を持つ大型のガ。オオミズアオの仲間を英語ではルナモス（Luna moth）といい、月の女神に例えられています。幼虫はウメやサクラなどの樹木の葉を食べますが、成虫は口が退化しているので何も食べません。

探索時のコツ

成虫は夜、灯りにやってくることが多いです。そのため、夜の森の近くの街灯などをこまめにチェックしてみましょう。都市部でも見られることがあります。

しゅう先生が語る「愛らしポイント」

とにかくデカい！ ガが好きな人にとっては心おどる見た目をしています（ガが苦手な方にとっては少しこわいと感じるかもしれませんが……）。夜、飛んでいる姿はなかなか神秘的です。

カタツムリが大好き

マイマイカブリ

学名　*Carabus blaptoides*

分類　コウチュウ目・オサムシ科

体長　26〜65mm

地域　北海道、本州、四国、九州

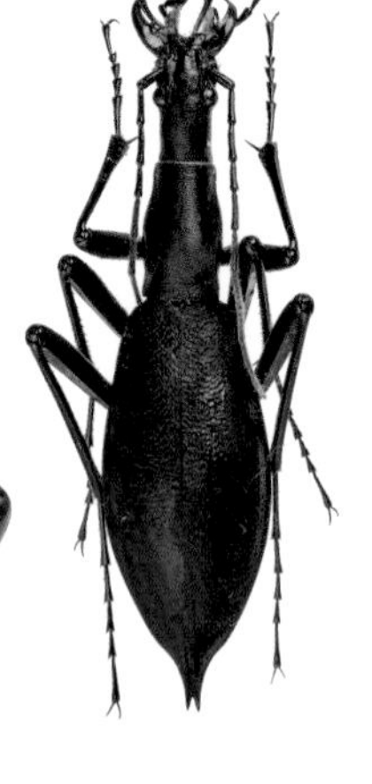

探索レベル

レア度　★★★★★

採集難易度　★★★★★

するどい大アゴ

どんな特徴があるの？

黒い体と長い足を持つオサムシの一種で、素早く動きます。カタツムリを見つけると、顔をカタツムリの中につきさして食べます。しかし、飼育時は昆虫ゼリーをあげてもOK。地域によって頭と胸の色がちがい、北海道では緑色や赤紫色、東北地方では赤紫色、関東地方では青色、西日本では真っ黒な個体が多い傾向があります。

探索時のコツ

河川敷などの木の下などにかくれていたり、側溝などの落ち葉の下にいたりします。よく目をこらして探してみてください。

しゅう先生が語る「愛らしポイント」

スタスタと歩く姿とカタツムリにかぶりついている姿とのギャップが素晴らしいです。冬場に冬眠している様子も観察することができます。

地域によって色が異なる

アイヌキンオサムシ

学名 *Carabus kolbei*

分類 コウチュウ目・オサムシ科

体長 19～29mm

地域 北海道

森林

探索レベル

レア度 ★★★★★

採集難易度 ★★★★★

どんな特徴があるの？

北海道に生息するオサムシ。体の色は黄・緑・赤などで、地域や個体によって色が異なります。オオルリオサムシ（P39）とよく似ていますが、オオルリオサムシよりも小型です。また、オオルリオサムシよりも標高の高いすずしい場所に生息していることが多いです。

探索時のコツ

アイヌキンオサムシは後ろ羽が退化しているので、飛ぶことができません。プラスチックコップを地面にうめて、落とし穴トラップ（P8）を作ってつかまえてみましょう。

しゅう先生が語る「愛らしポイント」

ぼくは北海道大学在学時代、授業を休んで採集に熱中。おかげで多くの単位の代わりに、美しいアイヌキンオサムシと出会えました！

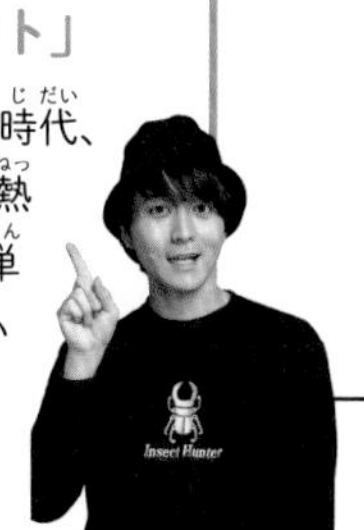

ひょうたんのようにキュッとしまった体

オオヒョウタンゴミムシ

学名 *Scarites sulcatus*

分類 コウチュウ目・オサムシ科

体長 28～38mm

地域 本州、四国、九州

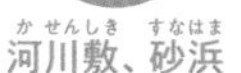
河川敷、砂浜

探索レベル

レア度 ★★★★★

採集難易度 ★★★★★

どんな特徴があるの？

まるでクワガタムシのような大アゴを持っていますが、クワガタムシではなく、ゴミムシの仲間。前胸と中胸の間が細く、そこが植物のひょうたんに似ているのが名前の由来です。小さな昆虫などの生き物をつかまえて食べます。

探索時のコツ

河川敷や海辺に生息していますが、砂浜の周辺で行われているうめ立てなどの開発の影響か、各地で激減しています。現在、観察できる場所は限られていますが、北陸・山陰・東海地方などの自然豊かな海辺に行くと出会えるかも。

しゅう先生が語る「愛らしポイント」

初めて観察できた時、大アゴのインパクトが想像以上で興奮しました。大アゴにはさまれると結構痛いので、どれだけうれしくても、ぼくのように興奮のあまり指を入れるのは危険です！

緑にかがやく体に赤茶色の足を持つ

アカアシオオアオカミキリ

学名 *Chloridolum japonicum*

分類 コウチュウ目・カミキリムシ科

体長 25～30mm

地域 本州、四国、九州

森林

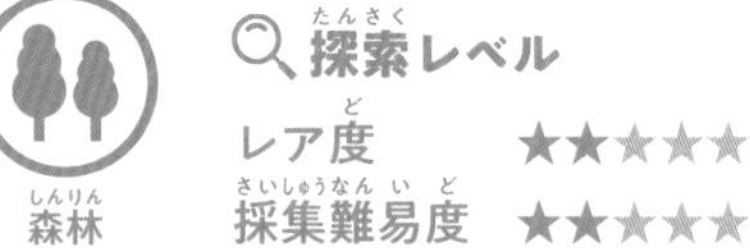

探索レベル

レア度 ★★☆☆☆

採集難易度 ★★☆☆☆

どんな特徴があるの？

緑色にかがやく体とオレンジ色の足が特徴のカミキリムシ。幼虫はクヌギの生木を食べて成長し、成虫もクヌギの樹液によく集まります。

探索時のコツ

夜行性なので昼間に発見するのは難しいです。夏の夜にクヌギの樹液に来ていないか探してみてください。数が減っていましたが、関東では最近見かける機会が増えてきており、都市部でも観察できることもあります。

しゅう先生が語る「愛らしポイント」

夜の雑木林でこの緑色にかがやくカミキリムシを見つけた時は、興奮のあまり体がほてってしまいます。しかし、にげ足は速くすぐに木の上に登ってしまうので気がぬけません。

ハチにそっくりのカミキリムシ

オニホソコバネカミキリ

学名 *Necydalis gigantea*

分類 コウチュウ目・カミキリムシ科

体長 20～36mm

地域 北海道、本州、四国、九州

森林

探索レベル

レア度 ★★★★★

採集難易度 ★★★★★

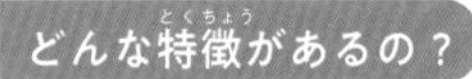

どんな特徴があるの？

ハチにそっくりなカミキリムシで、飛んでいる姿はハチそのものです。大型のヒメバチに擬態していると考えられています。自然度が高い森に生息しており、幼虫は広葉樹を食べて成長します。

探索時のコツ

かなり採集が難しいカミキリムシ。地域によって現れる正確な時期は異なるものの、観察できる期間は1つの場所あたり10日～2週間ほどです。生きている木とかれている木の中間のような木にやってきますが、この見極めが非常に難しいです。

しゅう先生が語る「愛らしポイント」

初めて採集できた時は感動して立つことができませんでした。自然が豊かな森でも、どの木に来るのかを見極めるのは本当に難しいです。

水色に黒の水玉模様

ルリボシカミキリ

学名　*Rosalia batesi*

分類　コウチュウ目・カミキリムシ科

体長　18～29mm

地域　北海道、本州、四国、九州

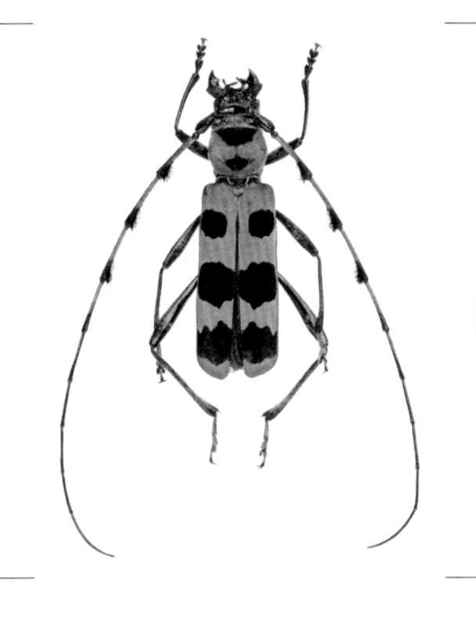

探索レベル

レア度	★★★★★
採集難易度	★★★★★

しゅう先生が語る「愛らしポイント」

水色がとても美しいカミキリムシです。個体によって黒い模様などがやや異なるため、並べてみるととても楽しいですよ。

どんな特徴があるの？

水色の地に黒い水玉模様のカミキリムシ。思わず目をうばわれるような、とてもあざやかな色合いですが、死んでしばらく経つとくすんだ色になってしまいます。体は平たく、触角はフサフサしています。幼虫はブナやナラ、カエデなどさまざまな種類の広葉樹を食べて成長します。

探索時のコツ

古めの丸太などに集まっている様子を、よく観察することができます。西日本ではめずらしいのですが、東日本、特に北日本では比かく的簡単に見つけることができます。

灯りに集まる大型のカミキリムシ

ミヤマカミキリ

学名 *Massicus raddei*

分類 コウチュウ目・カミキリムシ科

体長 32～57mm

地域 北海道、本州、四国、九州

探索レベル

レア度 ★★★★★

採集難易度 ★★★★★

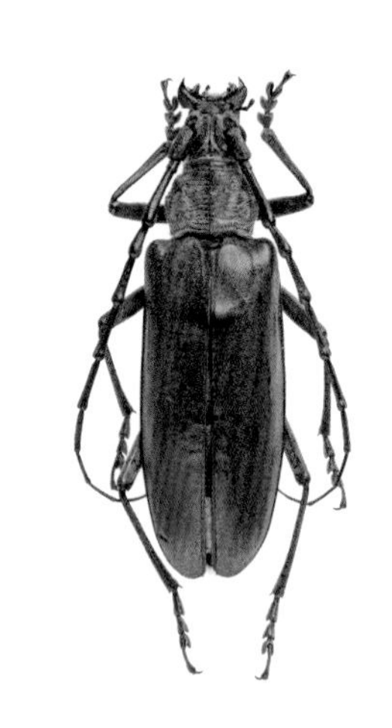

どんな特徴があるの？

こげ茶色の大型のカミキリムシ。夜にクヌギやコナラなどの樹液に集まってきます。灯りに飛んでくることも多いです。幼虫はクヌギやクリなどの木を食べて成長しますが、成虫になるまでに3年ほどかかります。

探索時のコツ

夜に雑木林近くの灯りをよくチェックすると、灯りに集まっている様子を観察することができます。

しゅう先生が語る「愛らしポイント」

とにかく大きい！ 日本に生息するカミキリムシの中でもトップクラスの大きさをほこります。大アゴもするどいので、顔にも注目してみてください。

黒いダイヤと呼ばれるクワガタムシ

オオクワガタ

学名　*Dorcus hopei*

分類　コウチュウ目・クワガタムシ科

体長　オス27～77mm、メス25～47mm

地域　北海道、本州、四国、九州

森林

探索レベル

レア度　★★★★★

採集難易度　★★★★★

体の質感が美しい！

どんな特徴があるの？

黒光りしており、「黒いダイヤ」とも呼ばれている、ファンの多いクワガタムシです。最近ではペットショップでもよく売られています。幼虫はクヌギやブナなどを食べて成長し、成虫も同じくクヌギなどの樹液に集まります。

探索時のコツ

非常にめずらしい種類で、近年は数が減少しています。樹液に集まっている様子を観察するのはなかなか難しく、木の穴の中にかくれていることも多いです。その時は、ピンセットなども使って取り出してみてください。

しゅう先生が語る「愛らしポイント」

とにかく造形が美しいクワガタムシ。また、めずらしいだけあって、森で見つけた時の喜びは計り知れません。

すずしい場所に多いクワガタムシ

ミヤマクワガタ

学名 *Lucanus maculifemoratus*

分類 コウチュウ目・クワガタムシ科

体長 オス32～79mm、メス25～47mm

地域 北海道、本州、四国、九州

探索レベル

レア度 ★★★★★

採集難易度 ★★★★★

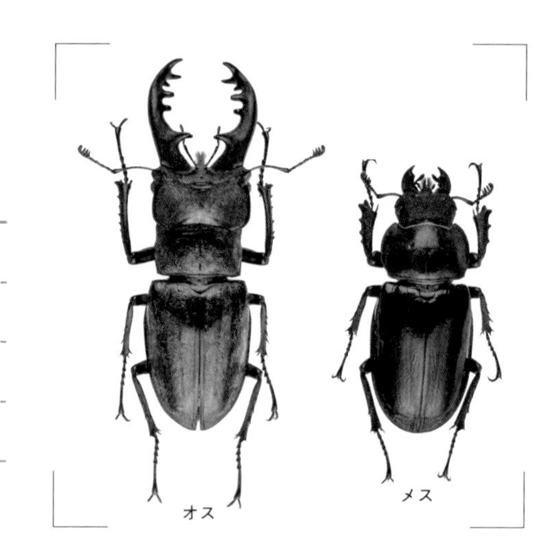

夜の灯りにもやってくる！

しゅう先生が語る「愛らしポイント」

ぼくが昆虫好きになったきっかけのクワガタムシです。その大アゴのチャーミングさに、とりこになってしまいました。でも、はさまれるとかなり痛いので注意！

どんな特徴があるの？

大アゴの形が特徴的なクワガタムシで、大きなオスは7cm以上になります。他のクワガタムシに比べてすずしい森に住んでいる傾向があります。

探索時のコツ

夜、灯りに集まるので、少し山間のすずしい森の近くにある街灯をチェックしてみましょう。灯りの周りを飛んでいる姿を目に焼きつけてみてください。

水牛の角のような大アゴを持つ

ノコギリクワガタ

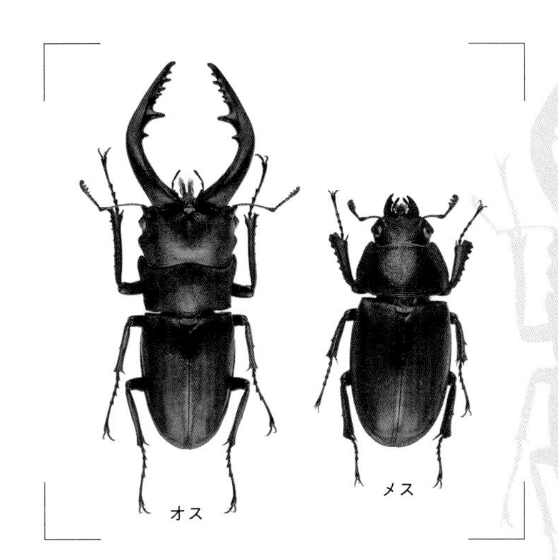

学名 *Prosopocoilus inclinatus*

分類 コウチュウ目・クワガタムシ科

体長 オス26～75mm、メス25～42mm

地域 北海道、本州、四国、九州

森林

探索レベル

レア度 ★★★★★

採集難易度 ★★★★★

東京都内でも見られる！

どんな特徴があるの？

赤茶色やこげ茶色の体を持つクワガタムシで、大きなオスはそのアゴの大きさから「水牛」と呼ばれます。幼虫は切り株などの木の根の部分にいて、成虫はクヌギなどの樹液によく集まります。

探索時のコツ

夏の夜、雑木林の樹液がよく出ている木を探してみましょう。身近な森でも観察できることが多いです。

しゅう先生が語る「愛らしポイント」

やはり大アゴが魅力的です。大きいオスは大アゴが曲がり、小さなオスは大アゴがまっすぐになる傾向にあります。個人的には、どちらの良さも兼ね揃えた中型のオスが好きですね。

クワガタ好きにはファンが多い

ヒラタクワガタ

学名 *Dorcus tittanus*

分類 コウチュウ目・クワガタムシ科

体長 オス19～75mm、メス28～41mm

地域 本州、四国、九州、沖縄

森林

河川敷

探索レベル

レア度 ★★★☆☆

採集難易度 ★★☆☆☆

強い力で相手をはさむ

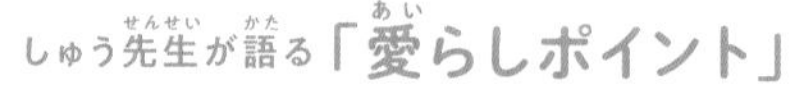
しゅう先生が語る「愛らしポイント」

平べったい形をしており、力も強いです。ノコギリクワガタ（P63）やミヤマクワガタ（P62）などは成虫のまま冬を越せないのですが、ヒラタクワガタは成虫のまま冬を越すことができるので、ペットとしてもおすすめです。

どんな特徴があるの？

黒色のクワガタムシで、はさむ力は結構強いです。幼虫はかれた木などの中にいて、成虫は樹液にやってくることもあるのですが、木の穴の中などにかくれていることも多いです。

探索時のコツ

夏場は樹液や灯りの他、木の穴の中にかくれていないか、ペンライトやピンセットなどを使って探してみてください。河川敷などにある林は特に採集に向いています。

大人気のコガネムシ

カナブン

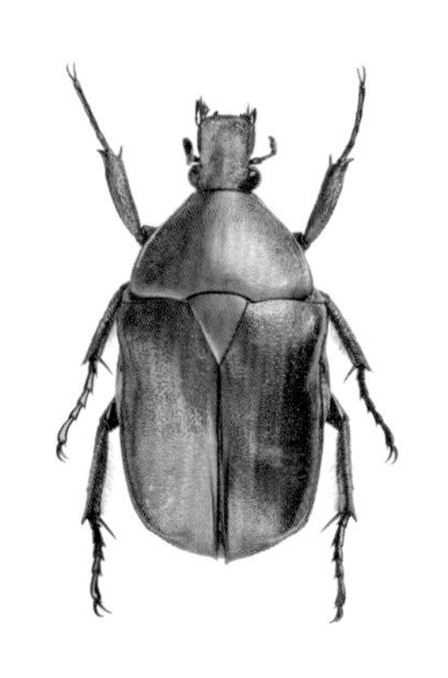

学名 *Pseudotorynorrhina japonica*

分類 コウチュウ目・コガネムシ科

体長 23～31mm

地域 本州、四国、九州

公園

森林

レア度 ★★★★★

採集難易度 ★★★★★

どんな特徴があるの？

ずんぐりした体形の中型のコガネムシ。個体によって色はさまざまで、茶色や緑が多く、まれに青色や赤色の個体もいます。幼虫はクズなどの植物の腐葉土を食べて成長し、成虫はクヌギやコナラなどの樹液によく集まります。

探索時のコツ

昼間に樹液が出ている木を探してみましょう。クヌギやコナラに限らず、さまざまな木の樹液に集まってきているはずです。

しゅう先生が語る「愛らしポイント」

樹液の出ている場所では、カナブンもカブトムシやクワガタムシのように頭をぶつけ合って争うことがあります。よく観察してみましょう。

昆虫界の王様

カブトムシ

学名 *Trypoxylus dichotomus*

分類 コウチュウ目・コガネムシ科

体長 27～56mm

地域 北海道、本州、四国、九州

森林

探索レベル

レア度 ★★★★★

採集難易度 ★★★★★

オス　メス

長い角は頭から生えている

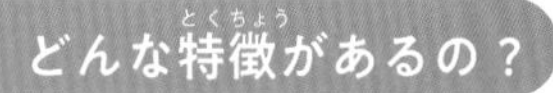

どんな特徴があるの？

人気昆虫の代表格ともいえる昆虫。オスは大きな角を持ち、オス同士やクワガタムシと角で戦います。幼虫は腐葉土を食べて成長し、成虫は樹液や街灯によく集まります。

探索時のコツ

山奥よりも身近な雑木林などに多く生息しています。昼間のうちに樹液が出ている木をチェックしておいて、夜になったらその場所に行ってみると発見できるかもしれません。

しゅう先生が語る「愛らしポイント」

ひとくちにカブトムシと言っても、個体によって色や角の形がちがってとても楽しいです。大きな角を持つオスは、何度見てもワクワクが止まりません！

日本最大の糞虫

ダイコクコガネ

学名	*Copris ochus*
分類	コウチュウ目・コガネムシ科
体長	16～34mm
地域	北海道、本州、九州

森林

農地

レア度 ★★★★★
採集難易度 ★★★★★

どんな特徴があるの？

動物のフンを食べるコガネムシの一種で、カブトムシと同様にオスは大きな角を持っています。幼虫・成虫ともにフンを食べますが、昆虫ゼリーで飼育することもできます。

探索時のコツ

放牧をしている場所が減っていることなどから、近年数が激減しています。北海道や九州の一部ではまだ見ることができるのですが、採集は難しいです。灯りに集まる習性もあります。

しゅう先生が語る「愛らしポイント」

実はフンに集まっているのを見つけるよりも、灯りに集まっているところをつかまえるほうが簡単です。初めて生きたダイコクコガネを手にした日のことは永遠に忘れないでしょう。

日本一美しい昆虫

ヤマトタマムシ

学名 *Chrysochroa fulgidissima*

分類 コウチュウ目・タマムシ科

体長 25～40mm

地域 北海道、本州、四国、九州、沖縄

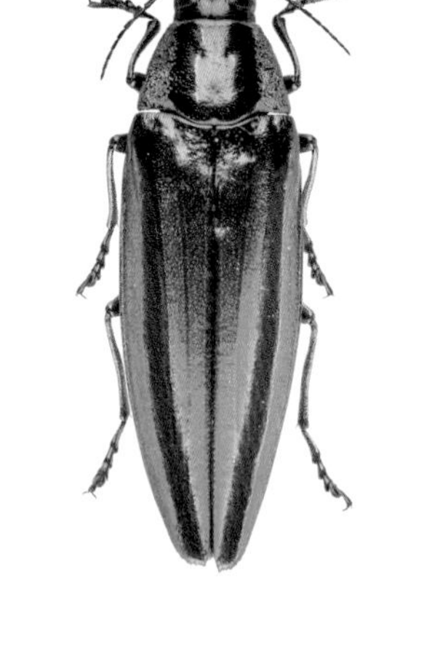

森林

探索レベル

レア度 ★★★★★

採集難易度 ★★★★★

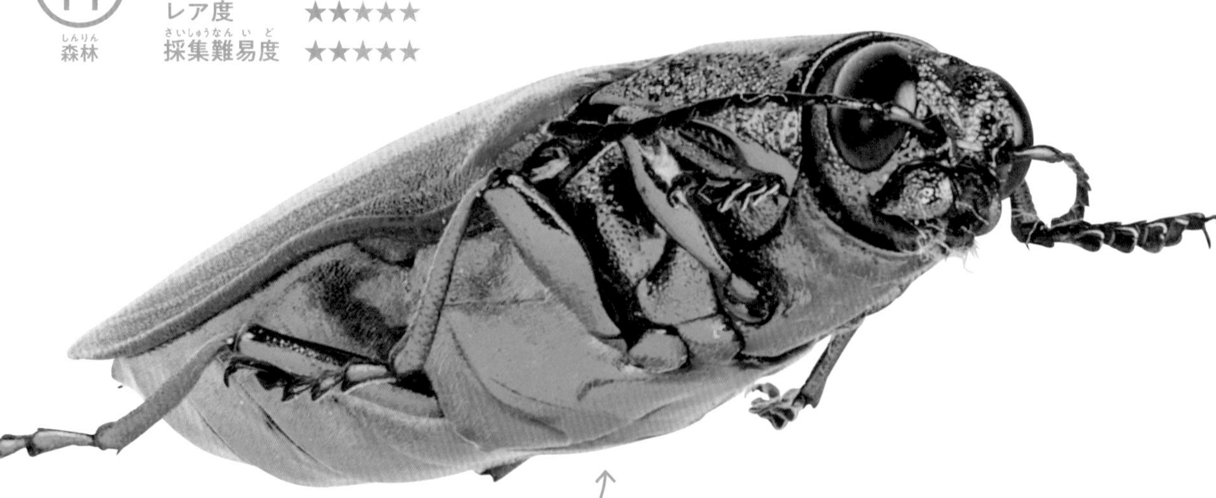

おなか側も美しい！

どんな特徴があるの？

緑や赤色の、いわゆる「玉虫色」にかがやく美しい甲虫の一種。森の日当たりの良い所をよく飛んでいます。幼虫はエノキやケヤキを食べて成長し、成虫もこれらの木の葉を食べる習性があります。法隆寺の国宝「玉虫厨子」はこの虫の羽がはりつけられています。

探索時のコツ

エノキやケヤキの丸太に産卵しにきているメスを見つけるのが、最も簡単な探し方です。ただ、この方法でメスは見つけられるのですが、オスを見つけるのは難しいです。

しゅう先生が語る「愛らしポイント」

日本の昆虫界ではトップクラスの美しさを持つ昆虫だと思います。太陽の光に当たると、その美しさは倍増するので、ぜひ野生のヤマトタマムシを見つけてほしいです。

日本最大のトンボ

オニヤンマ

学名 *Anotogaster sieboldii*

分類 トンボ目・オニヤンマ科

体長 81～107mm

地域 北海道、本州、四国、九州、沖縄

水辺

探索レベル

レア度 ★★★★★

採集難易度 ★★★★★

どんな特徴があるの？

日本で最も大きなトンボ。体は黒と黄色の模様で、緑色の目が美しいです。清流の中流域に生息しています。幼虫は川の支流や水田の近くにある水路にいて、水底の泥の中にひそんでいます。成虫はスズメバチの仲間を食べることも！

探索時のコツ

オニヤンマを見つけたら、いきなり網を振り回さずに、まずはゆっくり観察してみましょう。飛ぶパターンがきっと見えてくるはずです。そのパターンに合わせて網を上手く振るとゲットできるかもしれません。

しゅう先生が語る「愛らしポイント」

日本最大のトンボなだけあって、見た目のインパクト大！ しかし、つかまえるのは意外と簡単なのでぜひ採集にチャレンジしてほしいです。

学校のプールにも来る大型のトンボ

ギンヤンマ

学名 *Anax parthenope*

分類 トンボ目・ヤンマ科

体長 62～74mm

地域 北海道、本州、四国、九州、沖縄

水辺

探索レベル

レア度 ★★★★★

採集難易度 ★★★★★

どんな特徴があるの？

黄緑色と茶色の体を持つ大型のトンボ。全国各地で見ることができ、一度は目にしたことのある方も多いのではないでしょうか。オスはおなかの脚の付け根あたりに水色のあざやかな模様があり、メスと区別ができます。

探索時のコツ

まずは近くの池や沼などに行ってみましょう。緑色の大型のトンボが飛んでいたらギンヤンマかもしれません。植物にとまることもあるので、ゆっくりと観察して網を振ってみましょう。

しゅう先生が語る「愛らしポイント」

生きている時の目は黄緑色で美しいです。飼育も簡単で、幼虫に小さな魚などを与えると成長し、羽化するシーンを観察できます。

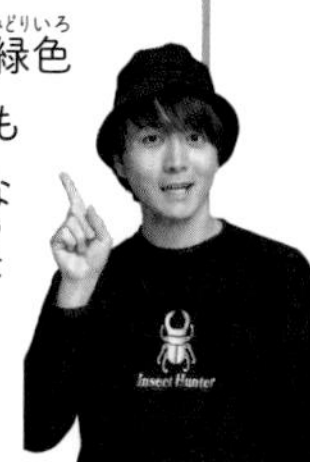

腰がないように見えるトンボ

コシアキトンボ

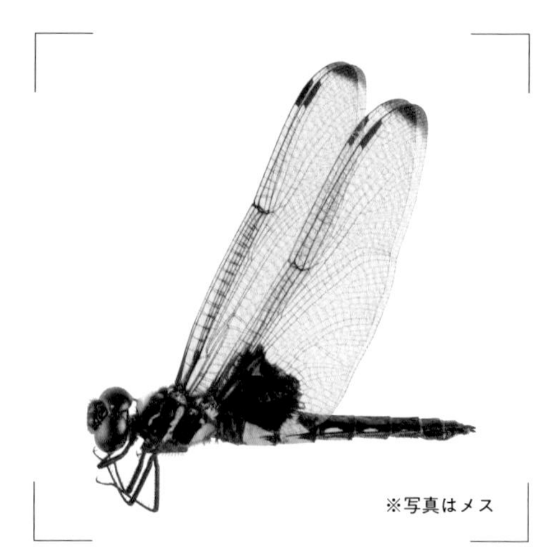
※写真はメス

学名 *Pseudothemis zonata*

分類 トンボ目・トンボ科

体長 38～46mm

地域 北海道、本州、四国、九州、沖縄

水辺

探索レベル

レア度 ★★★★★

採集難易度 ★★★★★

どんな特徴があるの？

中型のトンボで、黒色の体の腹部にオスには白色の模様が、メスには黄色い模様が存在します。ため池などに多く見られ、1つの池に何匹も飛んでいる様子を観察できることが多いです。

探索時のコツ

比かく的つかまえやすいスピードで飛びます。また、1つの池に何匹もいることが多いので、自由に網を振ってみるとつかまえられるはずです。他のトンボをとる練習にもなりそう！

しゅう先生が語る「愛らしポイント」

透明な羽と黒い体のため、暗い場所を飛んでいると、おなかの模様の部分が目立ちます。オスはなんだかナゾの白いものが飛んでいるようで、かわいらしく感じますよ。

うちわを持つトンボ

ウチワヤンマ

学名　*Sinictinogomphus clavatus*

分類　トンボ目・サナエトンボ科

体長　76～85mm

地域　本州、四国、九州

水辺

探索レベル

レア度　★★★★★

採集難易度　★★★★★

どんな特徴があるの？

「ウチワ」という名が示す通り、腹部にうちわのようなふくらみが存在します。体は黄色と黒色模様です。また「ヤンマ」と名が付きますが、ヤンマの仲間ではなく、サナエトンボの仲間です。

探索時のコツ

水生植物がよく生いしげっている池や、沼の日当たりの良い場所をよく飛んでいます。枝や草木の枝先などにもよくとまっているので、そこをねらって網を振ってみましょう。くれぐれも池に落ちないように！

しゅう先生が語る「愛らしポイント」

他のトンボとはちがって「ウチワ」の部分があり、個性的なトンボです。比かく的つかまえやすいので、チャレンジしてみてほしいです。

緑に赤い模様がかがやくカメムシ

アカスジキンカメムシ

学名　*Poecilocoris lewisi*

分類　カメムシ目・キンカメムシ科

体長　16～20mm

地域　本州、四国、九州

森林

探索レベル

レア度　★★★★★

採集難易度　★★★★★

どんな特徴があるの？

緑色の体に赤色の模様を持つカメムシ。体の表面はかがやきがあり、非常に美しいです。キブシやハンノキなどの植物の葉や果実の汁を吸います。

探索時のコツ

キブシやハンノキやヤシャブシなどの葉にいないか、よく見てみましょう。東京都内などでも観察することができます。緑色でキラキラしていますが、見落とさないように注意しましょう。

しゅう先生が語る「愛らしポイント」

実物はかがやきを放っており、非常に美しいです。カメムシと聞くと、ネガティブなイメージを持つ人が多いかもしれませんが、きっとアカスジキンカメムシを見れば、カメムシ好きになることまちがいなし！

最も身近なセミ
アブラゼミ

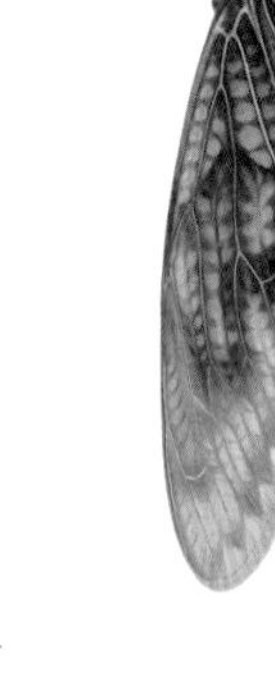

学名　*Graptopsaltria nigrofuscata*
分類　カメムシ目・セミ科
体長　34～40mm
地域　北海道、本州、四国、九州

市街地　公園　森林

探索レベル
レア度 ★★★★★
採集難易度 ★★★★★

どんな特徴があるの？
茶色い羽に、黒い体を持つセミ。日本では最も多くの人が目にするであろうセミで、あらゆる場所に生息しており、オスは「ジッ・ジッ・ジッ」と鳴きます。

探索時のコツ
まず、アブラゼミがとまっている木を見つけたら、なるべく振動させないようにそっと近づきます。網をおおいかぶせるようにポンッとアブラゼミの上に置けば、きっと網の中に入ってくるはずです。

しゅう先生が語る「愛らしポイント」
日本人であれば、何度もアブラゼミを見ているかもしれませんが、実は世界的には、茶色い羽を持つセミはめずらしいんです。個体によって微妙に模様や色がちがうので、その点も注目です。

夏の終わりを告げるセミ
ツクツクボウシ

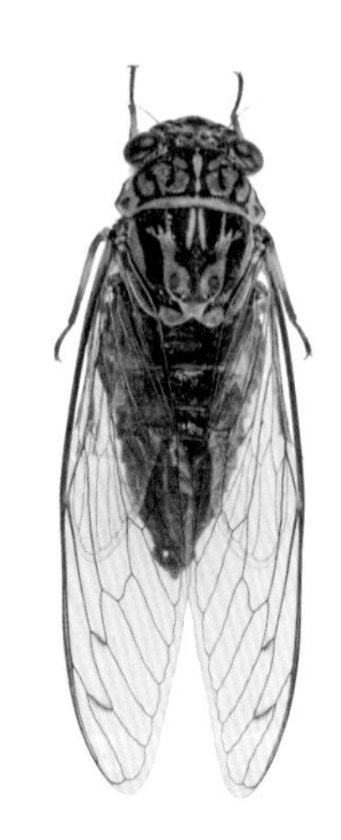

学名　*Meimuna opalifera*
分類　カメムシ目・セミ科
体長　26～33mm
地域　北海道、本州、四国、九州

市街地　公園　森林

探索レベル
レア度 ★★★★★
採集難易度 ★★★★★

どんな特徴があるの？
細長い形をした中型のセミ。透明な羽に黒と緑色の体を持つ。夏の終わりごろから現れて、オスは「ツクツクボーシ」と鳴きます。

探索時のコツ
素早く飛ぶので、小型の網のほうがとりやすいかもしれません。小さめの網に長い棒をつけて、とまっている枝に近づけてみましょう。

しゅう先生が語る「愛らしポイント」
「ツクツクボーシ」と鳴きますが、実は人によって聞こえ方がちがいます。「トゥクトゥク」と聞こえたり、「ドゥクドゥク」と聞こえる人もいるようです。

ミーンミンミンと鳴く

ミンミンゼミ

学名 *Hyalessa maculaticollis*

分類 カメムシ目・セミ科

体長 29～39mm

地域 北海道、本州、四国、九州

市街地

公園

森林

探索レベル

レア度 ★★★★★

採集難易度 ★★★★★

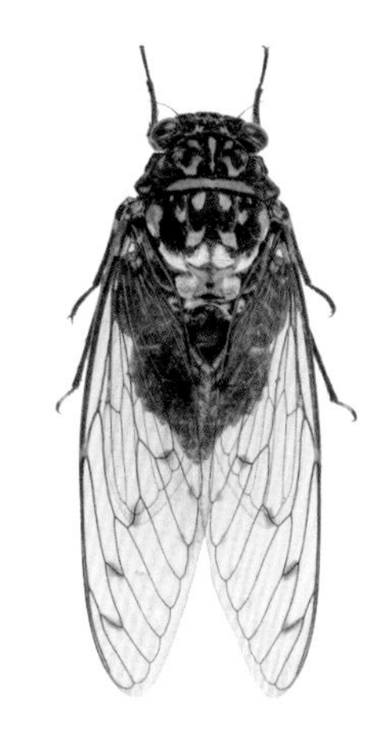

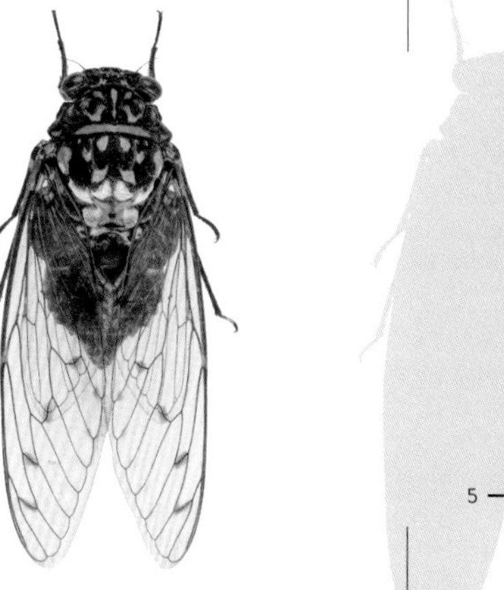

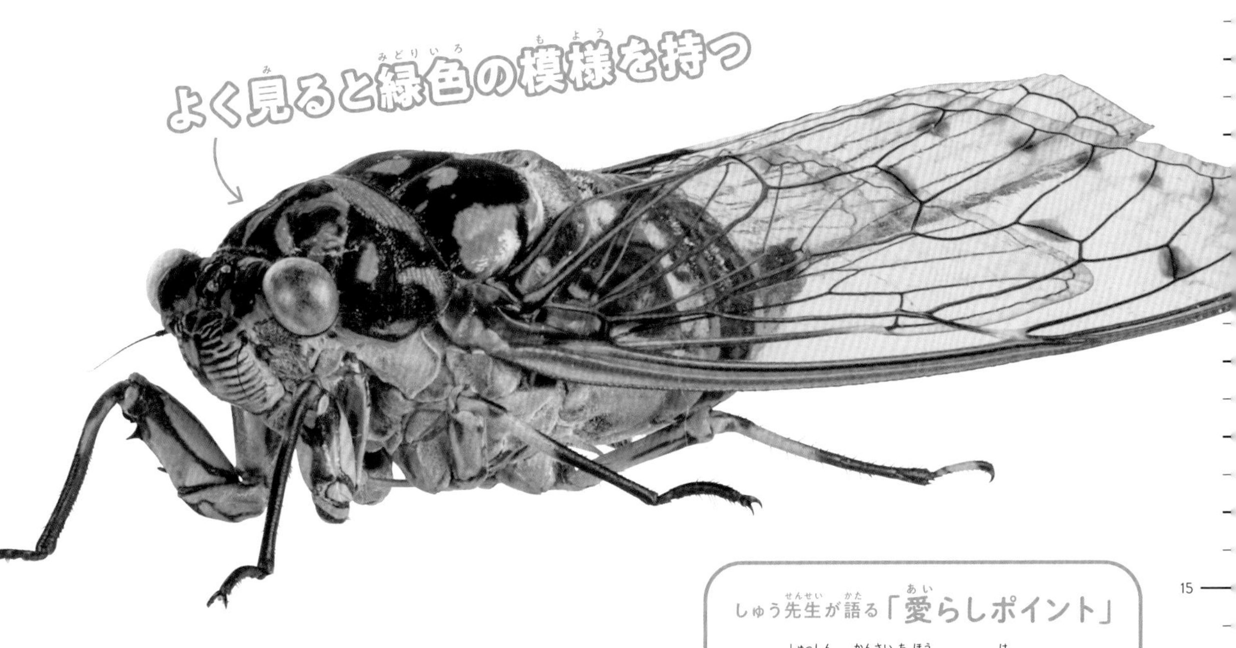

どんな特徴があるの？

透明な羽に、黒・緑色・白色の模様を持つ美しいセミです。個体によっては緑色の部分がはば広いものもいます。その名の通り、「ミーンミンミン」と鳴きます。

探索時のコツ

西日本ではあまりたくさん見かけないかもしれませんが、関東地方ではアブラゼミに次いでよく見かけるセミ。都心の公園にも多く生息しているので、気軽に探してみましょう。

しゅう先生が語る「愛らしポイント」

ぼくの出身の関西地方では、決してめずらしくはないものの、見かける頻度はそれほど多くはありませんでした。関東地方に来て、ミンミンゼミの多さに感動しました。体の緑色が美しいです。

小さいけど元気いっぱい！

ニイニイゼミ

学名 *Platypleura kaempferi*

分類 カメムシ目・セミ科

体長 20～26mm

地域 北海道、本州、四国、九州、沖縄

公園

森林

探索レベル

レア度 ★★★★★

採集難易度 ★★★★★

どんな特徴があるの？

茶色い羽に、黒色と緑色の体を持つ小型のセミです。その体の模様で上手く木の皮にまぎれて敵から身をかくしています。オスは「チィー」と鳴きますが、「ニィー」と聞こえる人もいるようです。

探索時のコツ

体の色が樹皮にそっくりなので、よく目をこらして探してみましょう。見つけたら、にげられないように網をおおいかぶせましょう。低い場所にいることも多いです。

しゅう先生が語る「愛らしポイント」

成虫は小型で茶色の羽を持つため、独特な雰囲気をかもし出していますが、抜け殻も独特で、泥だらけのため簡単にニイニイゼミの抜け殻だとわかります。

シャーシャーと鳴く大型のセミ

クマゼミ

学名 *Cryptotympana facialis*

分類 カメムシ目・セミ科

体長 45～52mm

地域 本州、四国、九州、沖縄

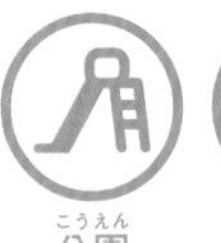

市街地　公園　森林

探索レベル

レア度 ★★★★★

採集難易度 ★★★★★

日本最大級のセミ

どんな特徴があるの？

透明の羽とずんぐりとした黒い体を持つ大型のセミで、主に西日本に多く生息します。しかし、近年は分布を拡大しており、関東地方などでも確認されています。オスは「シャーシャー」と鳴きます。

探索時のコツ

西日本ではアブラゼミ（P72）と双璧をなす身近なセミです。低い場所にとまっていることも多く、簡単につかまえることができます。

しゅう先生が語る「愛らしポイント」

日本で見られるセミの中では大型の部類に入ります。東日本でアブラゼミしか見たことない方がこの大型のセミを見たら、きっとびっくりするはずです。

親子で読みたい
昆虫コラム

子どものころから虫とりに夢中！

3歳のころ、祖父が生きたミヤマクワガタを見せてくれた時が昆虫との初めての出会いです。ミヤマクワガタのアゴが動く様子は不思議で、「なんてかっこいいんだろう！」と強い衝撃を受けました。そこからすっかり虫のとりこになってしまい、今日にいたるまで昆虫探索を続けています。

最初に夢中になったのはクワガタムシで、そこからカブトムシ、カマキリ、バッタ、キリギリスに夢中になり、そのうちゲンゴロウの魅力に取りつかれました。ゲンゴロウは家で飼育していたこともあるのですが、水槽の中を観察していると楽しいんです。カブトムシやクワガタはじっとしている時もあるのですが、ゲンゴロウはずっとぐるぐる動き回って、見ていてあきないんですよ。

でも、小学校のころは全然つかまえられませんでした。ゲンゴロウはめずらしい種類のため、なかなかいる場所を見つけることができなかったんです。ゲンゴロウがいそうな池に入り、虫とり網を水中でひたすら動かして、運が良ければとれるという感じです。だから、ゲンゴロウをとる時は頭を空っぽにしてひたすら気合いで網を動かしています。ちなみにゲンゴロウは、護岸されていない、水生植物や小さな生き物がたくさんいるような池であればいるかもしれません。

ゲンゴロウの存在を知ったのは8歳のころでしたが、いわゆるみなさんが想像する大きなゲンゴロウ、ナミゲンゴロウをとるまでに10年かかりました。このためだけに北海道の大学に進学したようなものです。

中学高校時代は、授業をろくに聞かずにゲンゴロウ図鑑を見ていて、先生にはしょっちゅう注意されました（ちなみにその先生に「新種を発見したら先生の名前をつけろよ」と言われたので、卒業してから新種を発見した時に約束通りその先生の名前をつけました）。よく日本のゲンゴロウの名前を暗唱していて、友達はちょっと引き気味でしたね。もはやぼくにとって学校は勉強しに行く所ではなく、虫とりをするために行く場所だったかもしれません（笑）。

ぼくの通っていた中学と高校は大阪市内にあり、そこに兵庫県の自宅から1時間程度かけて通っていました。放課後は大阪から奈良に行き、虫とりしていました。つまり、自宅から電車に乗って2時間程度かかるような場所まで虫とりに行っていたということです。中学生のころには終電をのがして、ものすごく親におこられたこともありました。あと、修学旅行にも虫とり網を持って行って、集団行動の合間にずっと虫を探していましたね。

とにかく中学・高校時代は、虫マニア度合いがひどくて、本当に虫以外何も考えていませんでした。でもそんな虫マニアでも親や先生からおこられながらも、虫とりをやめるように言われたことはなかったし、友達も生温かい目で見守ってくれていたので、今考えると本当に環境にめぐまれていたんだなあと思います。

3章

秋に見られる昆虫

夏の暑さが少しずつおさまっていき
だんだんとすずしさが感じられる季節。
秋ならではの虫たちも活動を始めます。

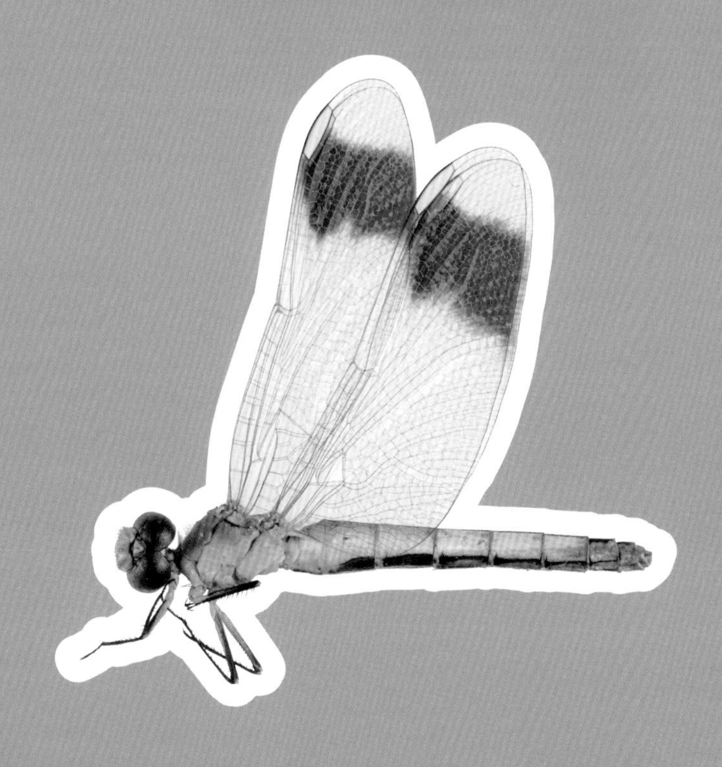

秋になると増えるチョウ

イチモンジセセリ

学名 *Parnara guttata*

分類 チョウ目・セセリチョウ科

開張 34～40mm

地域 北海道、本州、四国、九州、沖縄

公園　市街地　草地

探索レベル

レア度 ★★★★★

採集難易度 ★★★★★

どんな特徴があるの？

茶色を基調とした羽に白い模様を持つセセリチョウの仲間。羽の白い模様が一列に並ぶのが名前の由来です。都市部の公園でも素早く飛ぶ姿を、多く観察することができます。幼虫はイネやススキを食べて成長します。

探索時のコツ

花にストローのような口をさして、蜜を吸っている様子を観察しやすいチョウです。成虫はさまざまな種類の花にやってくるので、花にとまった時に網でつかまえましょう。

しゅう先生が語る「愛らしポイント」

セセリチョウの仲間は似た種類も多いのですが、名前の由来になった羽の白い模様が一列になっていることなどから、イチモンジセセリだと見分けることができます。また、セセリチョウの仲間は羽に対して、体が太いのも特徴的です。

移動能力が高いチョウ

ウラナミシジミ

学名 *Lempides boeticus*

分類 チョウ目・シジミチョウ科

開張 28～34mm

地域 北海道、本州、四国、九州、沖縄

草地

探索レベル

レア度 ★★★★★

採集難易度 ★★★★★

特徴的なしま模様

どんな特徴があるの？

羽の表側は水色で美しく、裏側はベージュと白色のしま模様となっています。幼虫はエンドウやアズキなど、マメ科の植物を食べて成長します。

探索時のコツ

日当たりの良い草むらに多く生息しています。地域によって見られる時期が微妙に異なるのですが、秋には多くの地域で見ることができます。

しゅう先生が語る「愛らしポイント」

シジミチョウの仲間は多くの身近な種類がいるのですが、ウラナミシジミは比かく的大きいシジミチョウの部類に入ります。シジミチョウワールドにひたるにはうってつけの種類！

2,000km以上旅をするチョウ

アサギマダラ

学名 *Parantica sita*

分類 チョウ目・タテハチョウ科

開張 90～100mm

地域 北海道、本州、四国、九州、沖縄

森林

草地

探索レベル

レア度 ★★★★★

採集難易度 ★★★★★

どんな特徴があるの？

前の羽は白と黒の模様、後ろ羽は白と赤茶色の美しいチョウです。2,000km以上旅をするチョウとしても知られており、寒い時期は沖縄などの暖かい場所で過ごし、春から秋にかけては全国各地で見ることができます。

探索時のコツ

見つけさえすれば、つかまえるのは簡単なチョウです。フワフワと飛んでいるので、あせらずゆっくり網ですくってみましょう。

しゅう先生が語る「愛らしポイント」

羽の白色の部分は、光に当たると少し青白く見えて美しいです。飛んでいる姿も花にやってくる様子も美しいチョウだと思います。

あざやかなオレンジ模様のタテハチョウ

アカタテハ

学名 *Vanessa indica*

分類 チョウ目・タテハチョウ科

開張 50～60mm

地域 北海道、本州、四国、九州、沖縄

森林

公園

探索レベル

レア度 ★★★★★

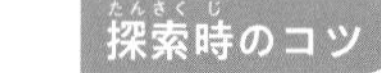
採集難易度 ★★★★★

どんな特徴があるの？

あざやかなオレンジ・黒・白・茶色の模様を持つ中型のチョウ。幼虫はイラクサ科の植物を食べて成長し、成虫は花や果実に集まります。また、成虫のまま冬を越します。幼虫は食草の葉を綴じ合わせた巣にひそんでいます。

探索時のコツ

意外と飛ぶのが速いので、地面などにとまるまで少し待ってみましょう。地面にとまったら、上から網をおおいかぶせてゲット！

しゅう先生が語る「愛らしポイント」

あざやかなオレンジ色が美しいチョウ。よく見ると羽のふちが白くなっているので、ぜひ細かく観察してみてください。

新聞紙という愛称も

オオゴマダラ

学名　*Idea leuconoe*

分類　チョウ目・タテハチョウ科

開張　120～140mm

地域　沖縄

森林

公園

市街地

探索レベル

レア度　★★★★★

採集難易度　★★★★★

日本のチョウの中では最大

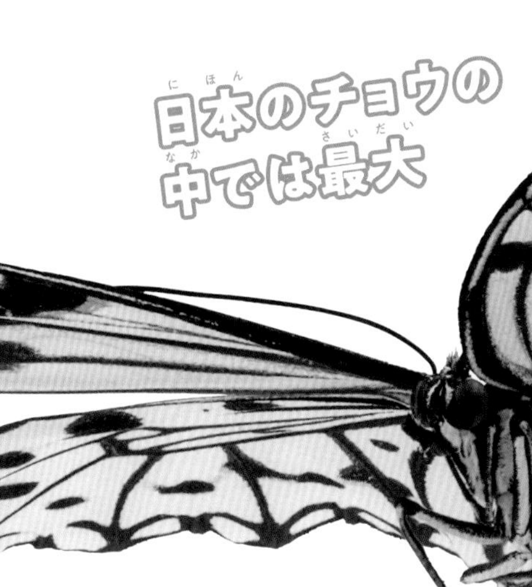

どんな特徴があるの？

白黒の模様の羽を持つ日本で最大のチョウ。国内では主に沖縄県に生息し、成虫はさまざまな花に訪れます。成虫は白黒模様ですが、サナギはなんと金メダルのような金色です。

探索時のコツ

日本で一番大きなチョウですが、実は日本で最もつかまえやすいチョウのひとつ。飛ぶのはゆっくりで、一部の虫好きからは「新聞紙」などと呼ばれる見た目です。ぜひチョウ界の新聞紙をじっくり観察してほしいです。

しゅう先生が語る「愛らしポイント」

沖縄県をはじめ、全国の昆虫館などでも飼育されており、多くの方に愛されているチョウです。ある程度のスペースがあれば、成虫の飼育もチャレンジできます。

落ち葉そっくりの羽を持つ

コノハチョウ

学名 *Kallima inachus*

分類 チョウ目・タテハチョウ科

開張 70～85mm

地域 沖縄

森林

探索レベル

レア度 ★★★★★

採集難易度 ×（採集禁止）

落ち葉度100%のクオリティ！

※写真は規制前に採集した標本を撮影したものです

どんな特徴があるの？

その名の通り、羽を閉じると、落ち葉にそっくりなチョウ。しかし羽を開くと表側は青とオレンジの美しい色をしています。日本では主に沖縄県に生息しています。

探索時のコツ

沖縄県では天然記念物に指定されており、採集は禁止されています。見つけてもつかまえずに、温かく見守りましょう。

しゅう先生が語る「愛らしポイント」

落ち葉にそっくりな模様を持つチョウはたくさんいますが、その中でもコノハチョウの落ち葉の再現度はかなりレベルが高いです。地面にとまると、本当に見分けがつきません。

沖縄で見る機会が増えている

マルバネルリマダラ

学名 *Euploea eunice*

分類 チョウ目・タテハチョウ科

開張 80～100mm

地域 沖縄

森林

探索レベル

レア度 ★★☆☆☆

採集難易度 ★★☆☆☆

どんな特徴があるの？

ツマムラサキマダラ（P84）に似ていますが、その名の通り、羽が丸っこく、かわいらしいチョウです。迷蝶で、以前は少なかったのですが、最近は南西諸島で見られるようになってきています。

探索時のコツ

2024年時点で、沖縄県・八重山諸島では比かく的容易に観察できるようになってきました。森の林道を散策しながら、よく探してみましょう。森の中からいきなり飛び出してくることもあります。

しゅう先生が語る

「愛らしポイント」

ぼくが初めて南西諸島に昆虫探しに行き出した13～14年前はまだ少なく、めずらしいチョウでした。しかし、最近はかなり多くなってきています。

成虫のまま冬を越すチョウ

キタテハ

学名 *Polygonia c-aureum*

分類 チョウ目・タテハチョウ科

開張 50～60mm

地域 北海道、本州、四国、九州、沖縄

森林

公園

探索レベル

レア度 ★☆☆☆☆

採集難易度 ★★☆☆☆

どんな特徴があるの？

オレンジ色に黒い模様を持つチョウ。羽の裏側は茶色になっており、落ち葉にかくれやすくなっています。幼虫はカナムグラなどを食べて成長し、成虫は各種の花や熟した果実などに集まります。多くが成虫の姿で冬を越します。

探索時のコツ

小型で素早く飛び、さらには羽を閉じると落ち葉にそっくりなので、なかなか見つけにくいです。よ～く目をこらして見つけてみましょう。

しゅう先生が語る

「愛らしポイント」

オレンジ色の羽に目がいきがちですが、よく観察すると体にフサフサの毛が生えていて、かわいらしいです。

青紫色の美しいマダラチョウ

ツマムラサキマダラ

学名 *Euploea mulciber*

分類 チョウ目・タテハチョウ科

開張 80～95mm

地域 沖縄

森林

オス

メス

探索レベル

レア度 ★★★★★

採集難易度 ★★★★★

絵の具を垂らしたような青紫色

どんな特徴があるの？

青紫色の美しい羽を持つチョウ。オスとメスで模様が異なり、メスは後ろ羽に白い筋が入るのが特徴です。日本国内では主に南西諸島で見ることができます。

探索時のコツ

センダングサ類の花によくやってきます。日当たりの良い場所を飛んでいることが多いので、林道を歩きながら、探してみましょう。

しゅう先生が語る「愛らしポイント」

青紫色が非常に美しいです。羽の先が青紫色になることから「ツマムラサキ」という名前が付けられました。

バラエティ豊かな羽の色

リュウキュウムラサキ

学名 *Hypolimnas bolina*

分類 チョウ目・タテハチョウ科

開張 70～90mm

地域 沖縄

森林

たまに本州に飛ばされてくることも!?

探索レベル

レア度 ★★★★★

採集難易度 ★★★★★

どんな特徴があるの？

黒に青やオレンジ、白などの模様の羽を持つチョウです。色や模様が個体によって大きく異なるため、まるで別の種類のように見えることもあります。アジア・オセアニアに広く生息しており、日本では南西諸島を中心に確認されています。

探索時のコツ

飛ぶのが少し速いのでにがさないように、しっかり網を振ってみましょう。山頂に向けてふき上がってくる風に乗っていることも多いです。

しゅう先生が語る「愛らしポイント」

個体や生息している地域によって模様が異なります。日本の南西諸島ではいろいろなパターンを見ることができるので、見つけるたびに楽しめるチョウです。

晩秋に現れる大型のガ

ウスタビガ

学名 *Rhodinia fugax*

分類 チョウ目・ヤママユガ科

開張 75～110mm

地域 北海道、本州、四国、九州

※写真はメス

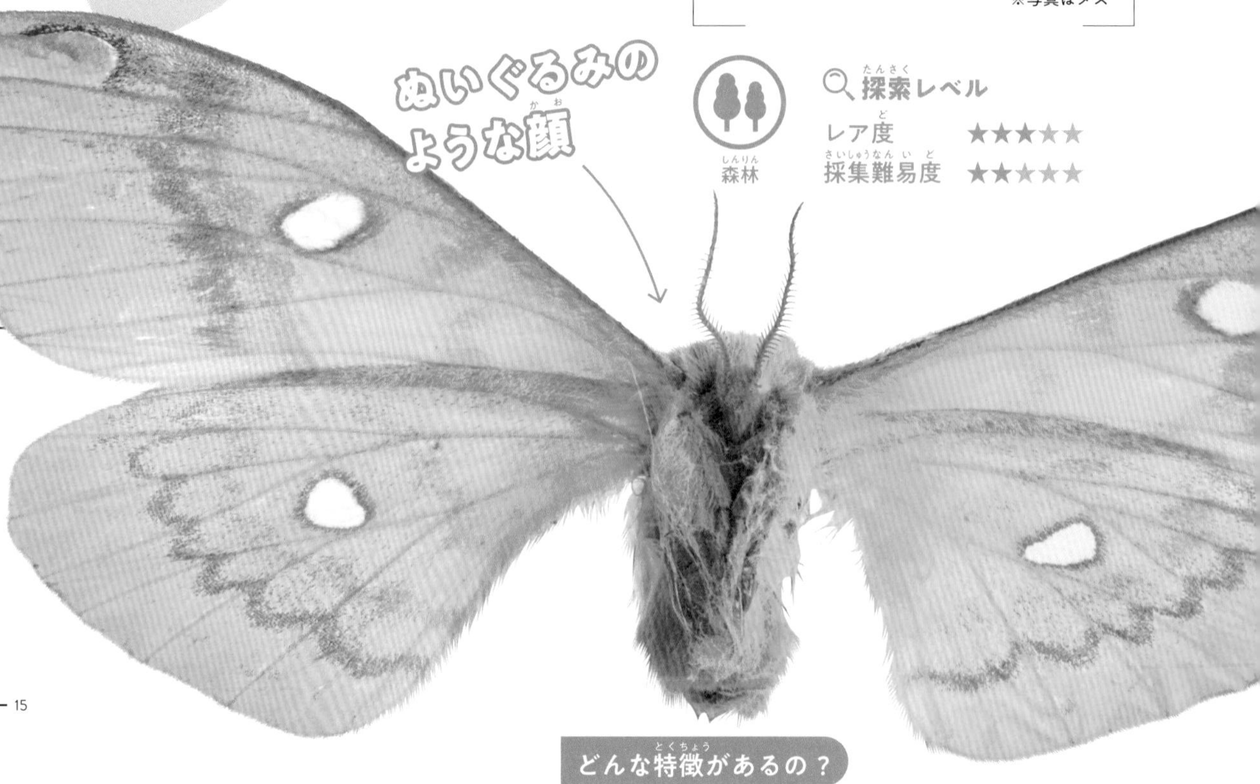

森林

探索レベル

レア度 ★★★★★

採集難易度 ★★★★★

どんな特徴があるの？

秋に現れる大型のガで、フサフサした体が特徴的。オスとメスで模様が全く異なります。オスは茶色い体ですが、メスは黄色い体を持ち、メスのほうが大型です。幼虫はサクラやコナラなどを食べて成長します。

探索時のコツ

夜、灯りに集まる習性があるので、森の近くで灯りの下などを探してみましょう。昼間でも夜に飛んできた個体が居残っていることがあります。

しゅう先生が語る「愛らしポイント」

大きな羽の色や模様に目がいくかもしれませんが、ぜひ顔にも注目してほしいです。まるでぬいぐるみのような、かわいらしい顔をしています！

地域によってさまざまな色がある

オオセンチコガネ

学名　*Phelotrupes auratus*

分類　コウチュウ目・コガネムシ科

体長　12～22mm

地域　北海道、本州、四国、九州

森林

探索レベル

レア度　★★☆☆☆

採集難易度　★☆☆☆☆

どんな特徴があるの？

動物のフンを食べる美しいコガネムシの仲間。シカ・サル・イノシシなどのフンによく集まります。また、地域によって色が変わり、青・緑・紫など色もバリエーション豊かです。

探索時のコツ

シカやサルなどが多く生息している森に行き、フンが落ちていないかを探してみましょう。フンを見つけていくうちにオオセンチコガネにも出会える可能性が上がってくるはずです。

しゅう先生が語る「愛らしポイント」

地域によって色が異なるのが魅力的です。特にぼくの地元でもある関西では、奈良・和歌山は青色、京都・滋賀は緑色、兵庫は紫色のものが生息している傾向があります。

かなりめずらしいエンマコガネ

ヤマトエンマコガネ

学名　*Onthophagus japonicus*

分類　コウチュウ目・コガネムシ科

体長　7～12mm

地域　本州、四国

草地

探索レベル

レア度　★★★★★

採集難易度　★★★★★

どんな特徴があるの？

動物のフンを食べる小型のコガネムシで、黒と黄色の模様が特徴です。シカなどのフンに集まる習性があり、特に日当たりの良い開けた場所に落ちているフンによくやってきます。

探索時のコツ

まずは開けた場所に落ちているフンを探してみましょう。しかし、なぜそのような環境にいるのかはナゾに包まれています。めずらしい種類で、各地で絶滅危惧種に指定されています。

しゅう先生が語る「愛らしポイント」

見つけるまでにかなり苦労しました。開けた場所にフンが落ちていて、周囲の環境は豊かで、天候に恵まれるなど、条件がそろわなければ見つけにくいです。採集は難しいのですが、見つけた時はその黄色い模様の羽に思わず心がおどります。

4つの斑点が目を引く大型のゴミムシ

オオヨツボシゴミムシ

学名　*Dischissus mirandus*

分類　コウチュウ目・オサムシ科

体長　17～19mm

地域　本州、四国、九州、沖縄

河川敷　草地

探索レベル

レア度　★★★★★

採集難易度　★★★★★

どんな特徴があるの？

黒い体に黄色い4つの斑点がついた羽を持つゴミムシの仲間。河川敷などに生息しており、東京や大阪の都市近郊でも見ることができます。また、成虫のまま冬を越すので、冬も腐った木の中などで観察することができます。

探索時のコツ

河川敷や水辺などをよく探索してみましょう。夜、灯りにやってくる習性もあります。

しゅう先生が語る「愛らしポイント」

ゴミムシの仲間は小型の種類が多い中で、オオヨツボシゴミムシは大型で美しいので、スターゴミムシとして愛されています。ぼくが初めて見つけた時は、その大きさに感動してしまいました。

大阪の名前を持つトンボ

オオサカサナエ

学名	*Stylurus annulatus*
分類	トンボ目・サナエトンボ科
体長	56～63mm
地域	本州

水辺

探索レベル

レア度 ★★★★★

採集難易度 ★★★★★

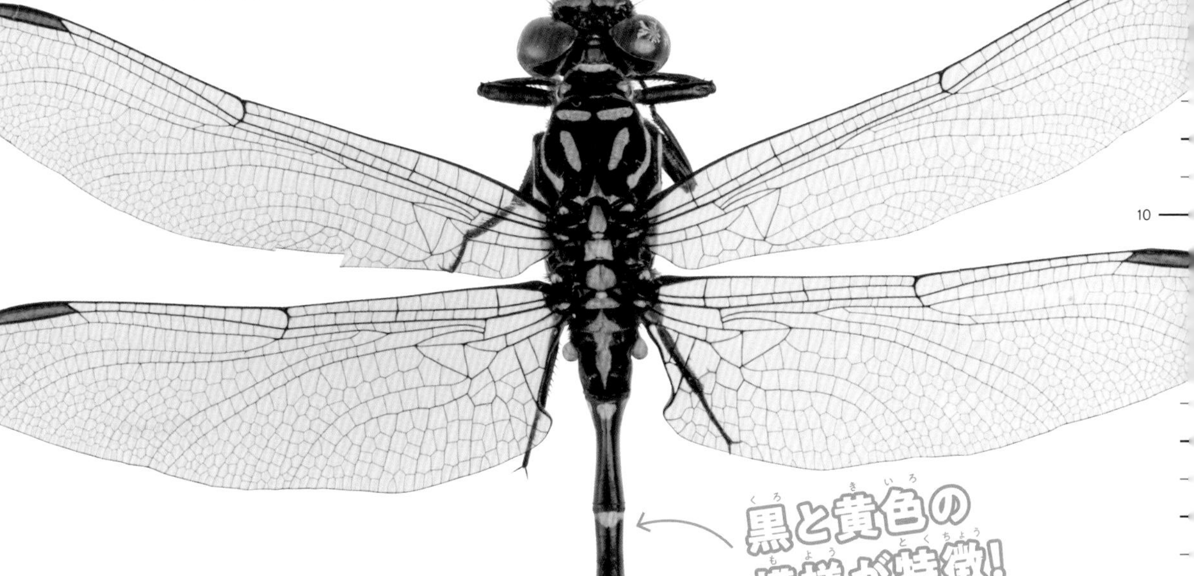

どんな特徴があるの？

黒と黄色の模様を持つサナエトンボの仲間。名前に「オオサカ」と付きますが、大阪以外にも生息しており、関西地方・東海地方の一部で見られています。

探索時のコツ

関西を中心に生息しているめずらしいトンボです。琵琶湖周辺などではまだ見ることができる場所もあるのですが、年々数が減ってきています。

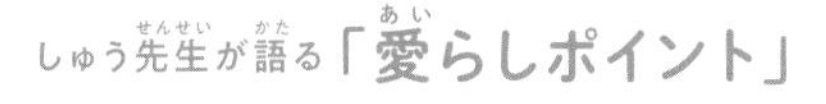

10年以上前に琵琶湖で初めて見つけた時、夢中になりすぎて琵琶湖に落ちてしまいました！ そのくらいトンボ好きにとっては魅力的なトンボです。

シオカラトンボ

学名 *Orthetrum albistylum*

分類 トンボ目・トンボ科

体長 48～56mm

地域 北海道、本州、四国、九州、沖縄

探索レベル

レア度 ★★★★★

採集難易度 ★★★★★

どんな特徴があるの？

おそらくトンボ界では1、2位を争う名の知れたトンボだと思います。名前に「シオカラ」とつきますが、食べても塩からいわけではありません。オスは水色と黒色、メスは黒色と黄色の模様をしています。

探索時のコツ

都市部から山間部まで、あらゆる場所に多く生息しているトンボです。

しゅう先生が語る

「愛らしポイント」

よく見ると、オスの目はすごく美しく、エメラルドグリーン色をしています。トンボは生きている時の目が非常に美しいのでつかまえたら観察してみてほしいです。

羽の先が色づいている

ノシメトンボ

学名　*Sympetrum infuscatum*

分類　トンボ目・トンボ科

体長　37～52mm

地域　北海道、本州、四国、九州

探索レベル

レア度　★☆☆☆☆

採集難易度　★☆☆☆☆

どんな特徴があるの？

赤トンボの一種です。コノシメトンボによく似ていますが、胸の模様が少しちがうので、そこで見分けることができます。北海道から九州まで生息しており、特に平地でよく観察することができます。

探索時のコツ

トンボは警かい心が強い種類が多く、少しでも近づくとにげられてしまうことが多いです。しかし、ノシメトンボは比かく的警かい心が弱いトンボなので、つかまえるだけではなく、近くで観察するのにも適しています。

しゅう先生が語る「愛らしポイント」

ノシメトンボは成熟しても赤くならないのですが、「赤トンボ」の仲間です。赤トンボの仲間には、この他にも青色や黄色、茶色いものも存在します。

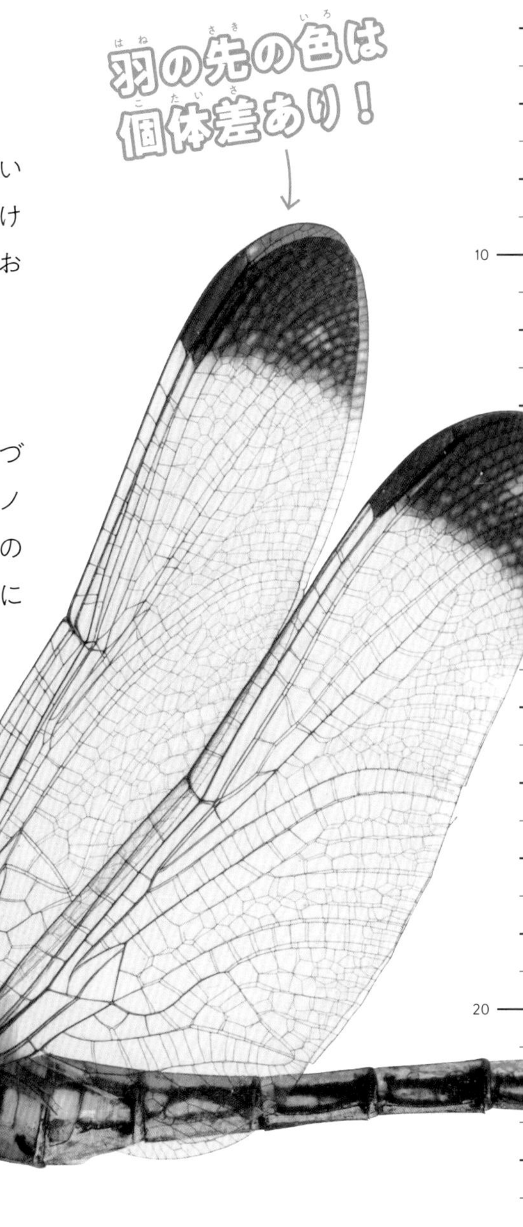

胸の模様で種類を見分けよう

コノシメトンボ

学名　*Sympetrum baccha*

分類　トンボ目・トンボ科

体長　36～48mm

地域　北海道、本州、四国、九州

水辺

探索レベル

レア度　★★★★★

採集難易度　★★★★★

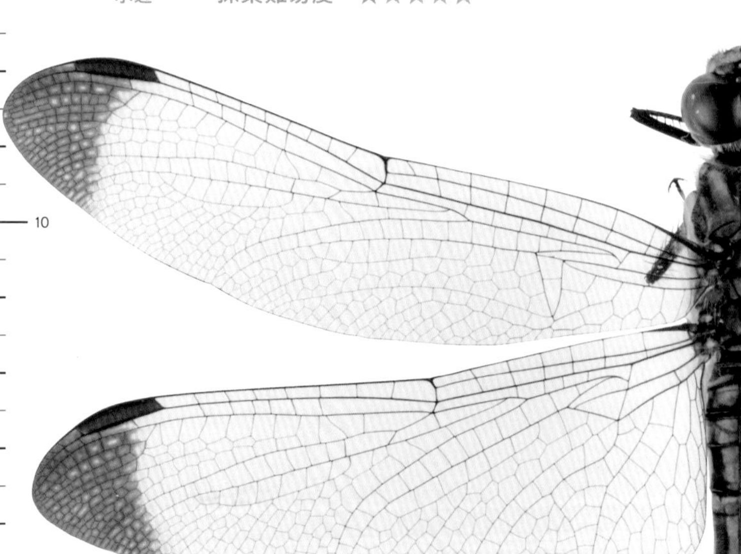

ノシメトンボより
ほんの少し
小さい

どんな特徴があるの？

赤トンボの一種ですが、羽の先に帯模様があることや、胸の特徴的な模様で他の種類と見分けることができます。また、標高の低い所から高い所までのあらゆる場所で観察することができます。

探索時のコツ

ノシメトンボ同様に羽の先が茶色くなっているため、遠くを飛んでいても見つけやすいです。さまざまな場所にとまることが多いので、とまった時に網を振ってみましょう。

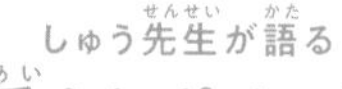

しゅう先生が語る

「愛らしポイント」

オスもメスも黄色と黒色の体を持つのですが、オスは成熟するとリンゴのような赤色の体になるので、そこに注目です！

風車のようにヒラヒラ舞うトンボ

ミヤマアカネ

学名　*Sympetrum pedemontanum*

分類　トンボ目・トンボ科

体長　30～40mm

地域　北海道、本州、四国、九州

探索レベル

レア度　★★☆☆☆

採集難易度　★★☆☆☆

羽の帯がトレードマーク

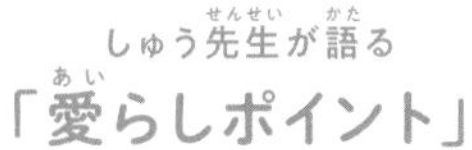

しゅう先生が語る

「愛らしポイント」

ヒラヒラと飛ぶ姿はとてもいやされます。おそらく日本に生息している赤トンボの中で、最もかわいらしい種類と言えるのではないかと思っています！

どんな特徴があるの？

羽にある茶色の帯の位置が、羽の先から少し内側にあるのが特徴的な赤トンボです。飛んでいる姿もかわいらしく、羽の帯の部分がヒラヒラと舞っているように見えます。「カザグルマトンボ」などと呼ばれることも。

探索時のコツ

ゆるやかな小川などの近くに生息していますが、その数は減少しており、各地で絶滅危惧種や準絶滅危惧種に指定されています。

大集団を作るカメムシ

アカギカメムシ

学名 *Cantao ocellatus*

分類 カメムシ目・キンカメムシ科

体長 17～26mm

地域 九州、沖縄

森林

探索レベル

レア度 ★★☆☆☆

採集難易度 ★★☆☆☆

どんな特徴があるの？

黄色またはオレンジ色に黒い模様を持つ大型のカメムシです。アカメガシワなどの実の汁を吸う習性を持っています。また、集団を形成する習性もあり、時には数千個体が集うことも。

探索時のコツ

日本では主に南西諸島で見ることができます。森を歩いているど、いきなりアカギカメムシの大集団に出会うこともあります。一面がこのアカギカメムシにおおわれている光景は、虫好きには絶景です。

しゅう先生が語る
「愛らしポイント」

個体によって、模様や色がちがいます。もし、集団に出くわしたら、ぜひ手の上に並べて彼らの模様を楽しんでみてほしいです。

大きくて異国感のあるカメムシ

オオキンカメムシ

学名 *Eucorysses grandis*

分類 カメムシ目・キンカメムシ科

体長 19～26mm

地域 本州、四国、九州、沖縄

森林

探索レベル

レア度 ★★★☆☆

採集難易度 ★★☆☆☆

どんな特徴があるの？

黒とオレンジ色の大型のカメムシで、ツヤツヤとかがやいています。成虫も幼虫もアブラギリの果実の汁を吸います。また、冬は広葉樹の葉の裏で集団で越冬します。

探索時のコツ

越冬する前に葉の裏などに集まってきている時が最も探しやすいです。特に、海岸近くの照葉樹林に生息していることが多いので、観察してみてください。

しゅう先生が語る
「愛らしポイント」

個体によって模様が異なり、時には人の顔のように見えることもあります。ぜひいろいろな顔のオオキンカメムシに出会ってほしいです。

呼吸管の先を水面から出す

タイコウチ

学名　*Laccotrephes japonensis*

分類　カメムシ目・タイコウチ科

体長　30～38mm

地域　本州、四国、九州、沖縄

探索レベル

レア度　★★★★★

採集難易度　★★★★★

カマみたいな前足！

どんな特徴があるの？

水の中に生息するカメムシの一種で、前足がカマのようになっています。このカマを使って小さな魚などの生き物をつかまえて食べます。全身は暗い茶色なので、水の中にいると、見つけにくいです。呼吸管という管を水面に出して呼吸します。

探索時のコツ

田んぼなどに生息しているので、長ぐつとタモ網を持って探しに行ってみましょう。泥によくまぎれるので、見落とさないように注意しましょう。

しゅう先生が語る「愛らしポイント」

カマのようになっている前足を動かしている様子が、太鼓を打っているようであることから、この名前が付けられました。飼育してみると、カマを使って獲物をつかまえる様子を観察することもできます。

小さな小さなセミ

チッチゼミ

学名 *Kosemia radiator*

分類 カメムシ目・セミ科

体長 18～24mm

地域 本州、四国、九州

草地

森林

探索レベル

レア度 ★★★★★

採集難易度 ★★★★★

どんな特徴があるの？

透明な羽と黒い体を持つ、小型のセミ。セミというと夏のイメージが強いのですが、このチッチゼミは秋に見られます。マツ林などに生息しています。

探索時のコツ

秋にマツ林を探索してみましょう。オスは「チッチッチッ」と鳴きます（人によっては「ジジジ」と聞こえます）。また、セミの中ではかなり小さい種類なので見落とさないようにしましょう。

しゅう先生が語る
「愛らしポイント」

セミというと大型のアブラゼミ（P72）やミンミンゼミ（P73）などのイメージがありますが、全長3cmほどの小型のセミは、ふだん見ているセミとちがってかわいらしく感じることでしょう！ぜひ探してみてください。

自然界では実はめずらしい

スズムシ

学名 *Meloimorpha japonica*

分類 バッタ目・コオロギ科

体長 16～19mm

地域 北海道、本州、四国、九州

草地

河川敷

探索レベル

レア度 ★★★★★

採集難易度 ★★★★★

どんな特徴があるの？

鳴く虫の代表格ともいえる昆虫で、オスは羽をこすり合わせて「リーンリーン」と鳴きます。鳴く時は羽がハート形に。秋ならいつでもいる印象が強いかもしれませんが、野生では夏の終わりから秋の初めごろまでが見つけやすいです。

探索時のコツ

ペットショップなどではよく見かけるのですが、実は自然界でスズムシを見つけるのは難しいです。自然豊かな河川敷のススキ原などに生息しています。

しゅう先生が語る
「愛らしポイント」

「リーンリーン」というおなじみ鳴き声は独特で、他の鳴く虫よりも人気が高いです。

秋の鳴く虫の代表選手

エンマコオロギ

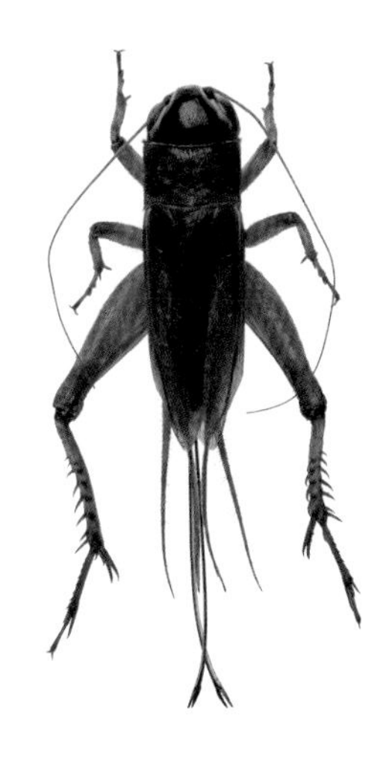

学名	*Teleogryllus emma*
分類	バッタ目・コオロギ科
体長	20～35mm
地域	北海道、本州、四国、九州

草地

公園

市街地

探索レベル

レア度 ★★★★★

採集難易度 ★★★★★

どんな特徴があるの？

体長は3cmほどですが、コオロギの中で大型の種類です。あらゆる草むらに生息しており、雑食で植物や小さな生き物の死がいなどを食べます。オスは「コロコロリー」と鳴きます。

探索時のコツ

「コロコロリー」と鳴き声が聞こえてきたら、その音のする方向を探してみましょう。きっと、草木の下などにかくれているはずです。

しゅう先生が語る「愛らしポイント」

おそらく最も有名なコオロギです。顔がおこった閻魔大王のように見えることから、その名が付けられました。

地面ではなく木の上で鳴く

アオマツムシ

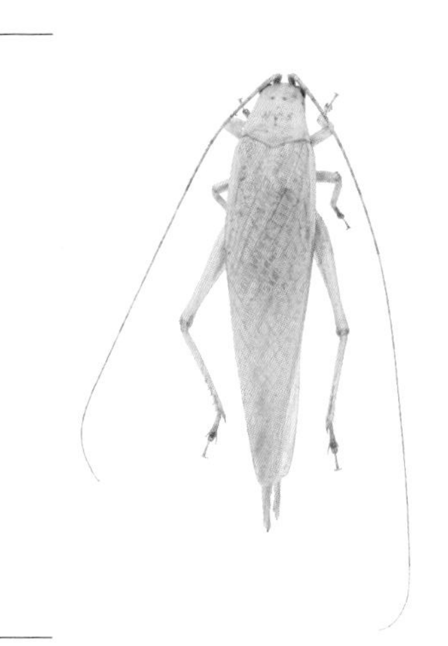

学名	*Truljalia hibinonis*
分類	バッタ目・コオロギ科
体長	17～22mm
地域	本州、四国、九州

草地

公園

探索レベル

レア度 ★★★★★

採集難易度 ★★★★★

どんな特徴があるの？

美しい緑色の体に黄色い線が入った華やかな見た目で、主に木の上に生息しています。オスは「リーリーリー」と鳴きます。明治のころにやってきた外来種と言われています。

探索時のコツ

都市部でも多く生息しています。木の上から「リーリーリー」と聞こえてくると、アオマツムシの可能性が高いです。網などを使って、探してみましょう。

しゅう先生が語る「愛らしポイント」

実はアオマツムシはもともと日本にいた昆虫ではなく外来種ですが、すっかり日本の鳴く虫として親しまれています。その動き方からアオゴキブリと呼ばれることもあります。

腹のはばが広いカマキリ

ハラビロカマキリ

学名 *Hierodula patellifera*

分類 カマキリ目・カマキリ科

体長 45～71mm

地域 本州、四国、九州、沖縄

草地

公園

探索レベル

レア度 ★★★★★

採集難易度 ★★★★★

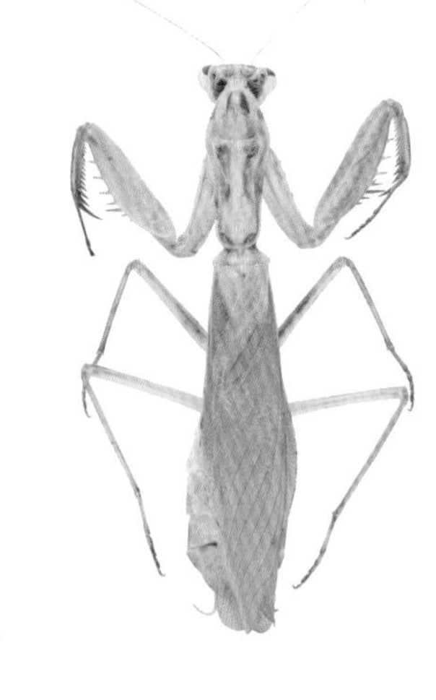

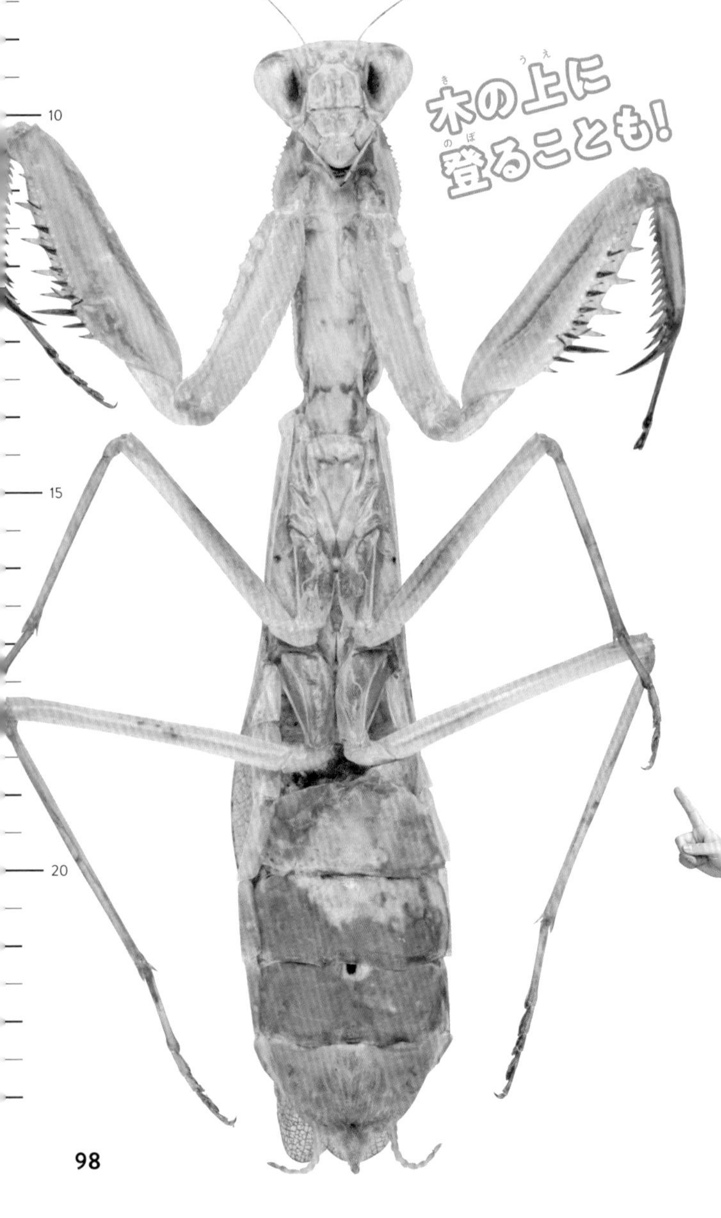

どんな特徴があるの？

緑色の中型のカマキリで、羽に白い紋があるのが特徴です。樹木の枝や葉の上にいることが多く、バッタやコオロギなどの小さな昆虫などをつかまえて食べます。

探索時のコツ

オオカマキリは草むらを探すと見つかりますが、ハラビロカマキリは木の葉や枝付近もよく探してみましょう。かくれて獲物をねらっているかもしれません。

しゅう先生が語る「愛らしポイント」

オオカマキリに比べて体がはば広いのが特徴です。オオカマキリと並ぶ、秋の二大人気カマキリです。

草むらの王様

オオカマキリ

学名	*Tenodera sinensis*
分類	カマキリ目・カマキリ科
体長	68～95mm
地域	北海道、本州、四国、九州

草地

公園

探索レベル

レア度 ★★★★★

採集難易度 ★★★★★

どんな特徴があるの？

大型のカマキリで、茶色や緑色の体を持ちます。草むらなどに生息し、コオロギやバッタなどの生き物を食べています。時には小さな鳥を食べることも！

探索時のコツ

体の色が秋の草むらにそっくりなため、よく目をこらして探してみましょう。よく見ると、オオカマキリがのそのそと草むらを歩いているのを観察できます。

草むらにまぎれる体の色

しゅう先生が語る

「愛らしポイント」

子どもたちにも大人気の昆虫です。昼間は緑色の目をしていますが、夜になると真っ黒な目になるんですよ。

親子で読みたい
昆虫コラム

「昆虫が好き！」を仕事に

ぼくは子どものころから昆虫に関係する仕事がしたいとずっと思ってきました。そこでまず思いうかんだのが、昆虫の研究者です。それで大学に進学し、研究の現場を見てみたのですが、子どもがイメージする昆虫博士と現実の昆虫博士の仕事はずいぶんちがうことがわかってきました。たとえば、研究といっても昆虫の暮らしの様子を調べる研究だけでなく、昆虫を解剖して体の仕組みを明らかにする研究もあります。つまり、昆虫の研究者はみんなが虫とりに行くわけではないんです。そういったさまざまな研究を知っていくと、やっぱりぼくは野外に出て虫とりに行くのが好きなんだと思うようになりました。

そんな時、たまたまテレビでさかなクンさんが出演しているのを見て、「そうだ、自分のやりたいことは、社会と昆虫のかけ橋になることだ。ぼくは昆虫界のさかなクンさんになろう！」とひらめきました。そうこうしているうちにご縁があって、フジテレビの「99人の壁」というクイズ番組に、昆虫にくわしいタレントとして出演することになりました。そこからラジオなどに出演するようになり、次第に名前が知られるようになって2021年についに虫とりでのテレビ出演がかないました。それがNHKの「ダーウィンが来た！」という番組です。それからは昆虫ハンターとして、さまざまな番組に出演しています。

ぼくに限らず、「虫が好きだから、虫に関係する仕事がしたい！」と思う子どもたちは多いのではないでしょうか。虫に関する仕事で分かりやすいのは、大学や研究機関で虫の研究をしたり、博物館で学芸員をしたりすることでしょう。あとは、環境アセスメント会社という、生き物の調査を行う会社に就職するのもひとつの方法です。

ペットショップや昆虫専門店で働いたり、そこで売るための虫の買い付けをしたり、虫をつかまえに行ったりする仕事もあります。虫のフィギュアや虫モチーフの服を作る人もいます。意外かもしれませんが、殺虫剤の開発をする仕事につくのも虫が好きな人が多いんですよ。開発のためにはたくさんの虫と接する必要があるので、虫が苦手な人にはつとまりません。

そう考えると、世の中には虫が好きな人がその「好き！」をいかせる仕事がたくさんあります。自分が虫のどういうところが好きなのかをよく考えていけば、どんな進路に進むかも見えてくるのではないでしょうか。そのうえで、「この仕事がやりたい！」と思ったら、その目標に向けて必要なスキルや知識を身につけていくと、夢に近づけるんじゃないかと思います。

4章

冬に見られる昆虫

冬に昆虫はいないのでは？ と思う方も
多いかもしれませんが、実は冬ならではの
昆虫探しがあるんですよ。

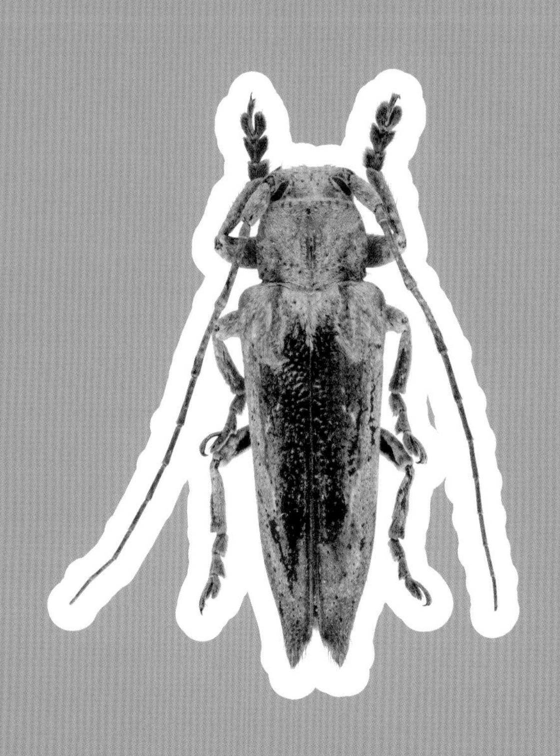

青地に目玉模様を持つタテハチョウ

アオタテハモドキ

学名 *Junonia orithya*

分類 チョウ目・タテハチョウ科

開張 50～60mm

地域 九州、沖縄

草地

探索レベル

レア度 ★★★★★

採集難易度 ★★★★★

どんな特徴があるの？

青と黒にオレンジや赤の目玉模様を持つかわいらしい印象のチョウ。日当たりの良い草地などでよく見られます。幼虫はキツネノマゴやイワダレソウなどを食べて成長します。

探索時のコツ

以前は主に南西諸島でしか見ることができなかったのですが、最近は九州各地でも観察されるようになってきました。沖縄では1年を通して成虫を見ることができます。

しゅう先生が語る「愛らしポイント」

カラフルな目玉模様がかわいいチョウです。また、オスとメスで色合いが少し異なり、オスのほうがあざやかな青色の羽を持っています。

南国のオレンジ色のマダラチョウ

スジグロカバマダラ

学名 *Danaus genutia*

分類 チョウ目・タテハチョウ科

開張 70～80mm

地域 沖縄

草地 森林 公園

探索レベル

レア度 ★★★★★

採集難易度 ★★★★★

オスには後ろ羽に丸い模様が！

どんな特徴があるの？

オレンジ・黒・白色の模様のチョウ。幼虫はリュウキュウガシワを食べて成長し、成虫はさまざまな種類の花の蜜を吸います。幼虫が食べるリュウキュウガシワには毒がふくまれているため、幼虫は毒を体にためこみます。そして成虫になっても体に毒を持ち、鳥などの天敵に食べられるのを防いでいます。

探索時のコツ

主に先島諸島の各地で見ることができ、個体数も多いです。最近はそれより北の地域でも確認されています。

しゅう先生が語る「愛らしポイント」

オレンジ色の羽に黒い筋が特徴的。先島諸島に行くといつも最初に出迎えてくれます。

沖縄の森のにぎやかし隊

リュウキュウアサギマダラ

学名　*Ideopsis similis*

分類　チョウ目・タテハチョウ科

開張　70～85mm

地域　九州、沖縄

森林

探索レベル

レア度　★★★★★

採集難易度　★★★★★

どんな特徴があるの？

グラデーションのある黒色と茶色の羽に水色の模様を持つチョウ。幼虫はキョウチクトウ科の植物を食べて成長し、成虫はさまざまな種類の花にやってきます。幼虫のうちに毒草を食べて毒をためこみ、鳥から食べられないようにしています。

探索時のコツ

主に沖縄県などで見ることができますが、近年は分布がどんどん北に広がっています。沖縄では冬でも成虫が飛んでいる姿を観察することができますが、集団を形成して越冬していることもあります。

しゅう先生が語る「愛らしポイント」

水色が美しく、見るだけで明るい気持ちにさせてくれるチョウです。林道の低い場所に生えている花にもよくやってきます。

冬に見られるシャクガ

ナミスジフユナミシャク

学名　*Operophtera brunnea*

分類　チョウ目・シャクガ科

開張　オス22～37mm、メス7～9mm

地域　北海道、本州、四国、九州

※写真はオス

森林

探索レベル

レア度　★★★★★

採集難易度　★★★★★

どんな特徴があるの？

多くの昆虫が冬は冬眠する中、ナミスジフユナミシャクのようなフユシャクガの仲間はなんと冬にだけ活動します。そして、なんといってもフユシャクガの仲間はメスに羽がないか、とても小さく退化しています。しかし、メスはフェロモンを出すことで、オスを呼び寄せます。

探索時のコツ

冬の雑木林で木に小さなガがとまっていないかを、昼夜問わずよく観察してみましょう。一見味気無いように見える冬の森も、フユシャクガの愛のフェロモンであふれています！

しゅう先生が語る「愛らしポイント」

ガというと羽を広げてバタバタ飛ぶイメージがありますが、フユシャクガのメスはそのイメージをくつがえしてくれます。

銅色にかがやくオサムシ

ルイスオサムシ

学名 *Carabus lewisianus*

分類 コウチュウ目・オサムシ科

体長 18～23mm

地域 本州

探索レベル

レア度 ★★★★★

採集難易度 ★★★★★

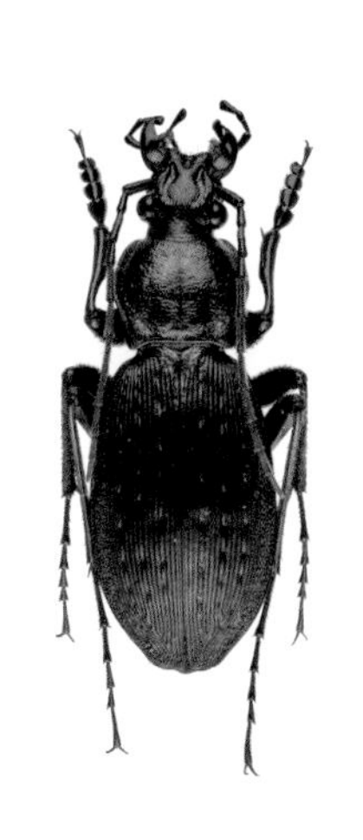

どんな特徴があるの？

銅色の小型のオサムシで、南関東から静岡県にかけての地域に生息しています。成虫はガの幼虫やミミズなどを食べる肉食です。

探索時のコツ

他のオサムシと同様に、林道わきの斜面などの土の中や朽ち木の中で越冬します。冬にオサムシをほり出してそのまま放置すると寒くて死んでしまうため、場所のルールに問題なければ、持ち帰って飼育してあげましょう。

しゅう先生が語る「愛らしポイント」

個体によって細かい色味などが異なってきます。特に明るい部屋でライトを当てて観察すると、色のちがいがよくわかります。

普通種だけど美しいゴミムシ

アオゴミムシ

学名　*Chlaenius pallipes*

分類　コウチュウ目・オサムシ科

体長　14～15mm

地域　北海道、本州、四国、九州

森林

河川敷など

探索レベル

レア度　★★★★★

採集難易度　★★★★★

どんな特徴があるの？

赤銅色の胸に緑色の羽、オレンジ色の足を持つゴミムシの仲間です。北海道から九州まで生息しており、湿地などにも多く見られます。

探索時のコツ

冬の間は林道わきの斜面や朽ち木の中で越冬します。集団を形成して越冬することも多いので、冬に朽ち木を見つけたら、中にいないか探してみましょう。ただし、探索の際にはくれぐれも場所のルールは守るようにしてください。

しゅう先生が語る「愛らしポイント」

よく見かける種ではあるのですが、とにかく美しい！ ゴミムシの仲間はアオゴミムシをはじめ、本当に美しい種類が多いので、アオゴミムシを皮切りにゴミムシワールドをのぞいてほしいと思います。

奥深さのある美しい黒い体

オオオサムシ

学名　*Carabus dehaanii*

分類　コウチュウ目・オサムシ科

体長　23～41mm

地域　本州、四国、九州

森林

探索レベル

レア度　★★★★★

採集難易度　★★★★★

どんな特徴があるの？

真っ黒なオサムシで、中部地方より西の地域に生息しています。夜行性で、日中は倒木や落ち葉の下、土の中などに身をひそめています。小さな昆虫やミミズなどを食べます。

探索時のコツ

林道わきの斜面の土の中などで冬眠します。土がかわきすぎている所には少ないので、適度に湿気が保たれているような場所を探してみましょう。

しゅう先生が語る「愛らしポイント」

オオオサムシは一見、真っ黒なオサムシに見えるのですが、その体を光に当ててよく見てみると青っぽく見える部分があり、とても美しいんですよ！

木の上で暮らすオサムシ

クロカタビロオサムシ

学名 *Calosoma maximowiczi*

分類 コウチュウ目・オサムシ科

体長 22～31mm

地域 北海道、本州、四国、九州

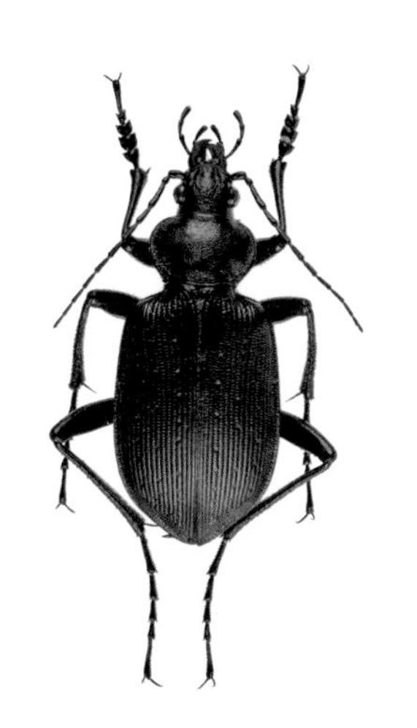

森林

探索レベル

レア度 ★★★★★

採集難易度 ★★★★★

どんな特徴があるの？

黒色で、横にずんぐりした体型のオサムシ。オサムシの仲間ではめずらしく、飛ぶことができます。主に木の上に生息しており、ガの幼虫などをつかまえて食べています。以前はめずらしい種類とされていたのですが、最近はいろいろな場所で見つかっています。

探索時のコツ

冬は他のオサムシと同様に、林道わきの斜面の土の中で越冬しています。手ぐわやスコップでほり進める際、誤ってオサムシそのものを傷つけないように気をつけながらほってみましょう。

しゅう先生が語る「愛らしポイント」

オサムシの中でも特徴的な体型をしていて、カッコいいです！

オサムシ界のスター的存在

マークオサムシ

学名　*Carabus maacki*

分類　コウチュウ目・オサムシ科

体長　20～38mm

地域　本州

河川敷

探索レベル

レア度　★★★★★

採集難易度　★★★★★

どんな特徴があるの？

真っ黒な体に縦のみぞが深く入った上翅を持つオサムシです。東北地方に生息しており、自然豊かな河川敷や休耕田などに生息しています。

探索時のコツ

冬に東北地方の河川敷などで、朽木の中を探してみましょう。しかし、採集難易度は高く、1日かけて探しても全く見つからないこともよくあります。

しゅう先生が語る

「愛らしポイント」

オサムシの中ではスター的な存在で、オサムシ好きなら、だれしも一度は夢に出てきた種類だと思います。そのカッコいい形の上翅を一度ぜひ見てほしいと思います。

美しい光沢を持つオサムシ

アオオサムシ

学名　*Carabus insulicola*

分類　コウチュウ目・オサムシ科

体長　22～34mm

地域　北海道、本州

森林　公園

探索レベル

レア度　★★★★★

採集難易度　★★★★★

どんな特徴があるの？

緑や赤、オレンジ色の体を持つオサムシの仲間で、主に雑木林や河川敷などに生息しています。小さな昆虫やミミズなどを食べる習性があります。

探索時のコツ

冬の間、成虫は林道わきの斜面などの土の中にこもって越冬します。森でそのような場所を見つけたら、手ぐわやスコップなどでほって探してみましょう！　都市部の近くにも多い種類で、東京都内でも簡単に観察できます。

しゅう先生が語る

「愛らしポイント」

地域や個体によって色合いが異なります。緑色が強い個体もいれば、赤みが強い個体もいます。各地で探してみましょう！

竹が大好きなカミキリムシ

ハイイロヤハズカミキリ

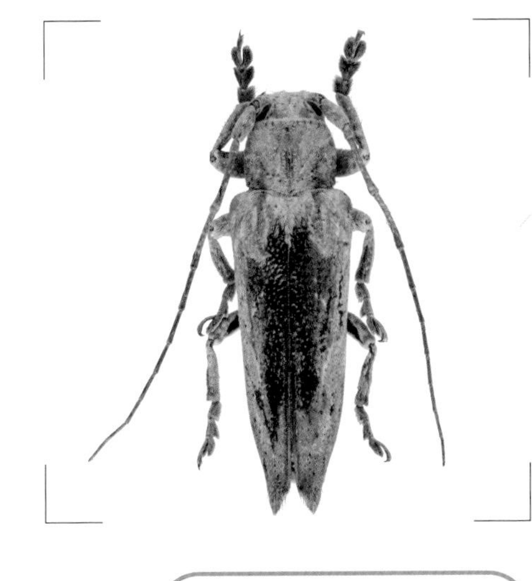

学名 *Niphona furcata*

分類 コウチュウ目・カミキリムシ科

体長 12～21mm

地域 本州、四国、九州、沖縄

森林

探索レベル

レア度 ★★★★★

採集難易度 ★★★★★

どんな特徴があるの？

灰色の中型のカミキリムシです。羽にこぶがあるのが特徴。メスは竹に産卵し、幼虫はかれた竹を食べて成長します。

探索時のコツ

竹の中の幼虫は秋にサナギになり、そのまま羽化して、竹の中で成虫の状態で冬を越します。そのため、冬の竹林でかれた竹の中をポキポキ折って探すと、見つけることができます。

しゅう先生が語る「愛らしポイント」

一見、灰色の地味なカミキリムシに見えるのですが、よく見てみると、背中にこぶがあったり、羽の先がカッコよくとがっていたりする、魅力的なカミキリムシです。

朽ち木の中で暮らすクワガタムシ

ツヤハダクワガタ

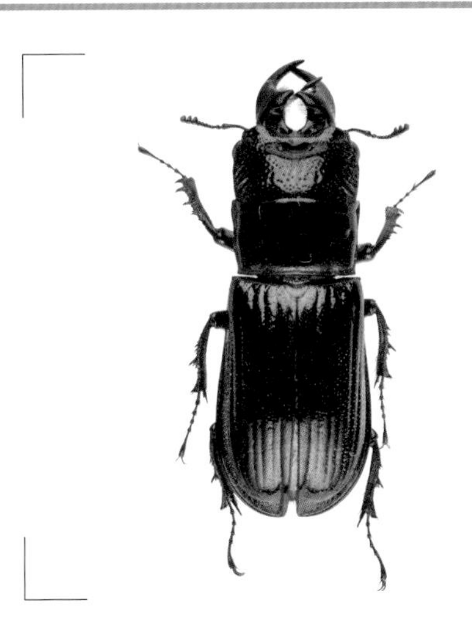

学名 *Cerchus lignarius*

分類 コウチュウ目・クワガタムシ科

体長 12～23mm

地域 北海道～九州

森林

探索レベル

レア度 ★★★★★

採集難易度 ★★★★★

どんな特徴があるの？

真っ黒いクワガタムシで、体はツヤツヤしています。クワガタムシと聞いてイメージするような大きな大アゴはありませんが、それでも独特の形をした立派な大アゴを持っています。

探索時のコツ

北海道や、本州・四国・九州の標高が高いすずしい森に生息しています。冬場に朽ち木を割ると成虫を観察することができるので、すずしい森に行った際には探してみましょう。

しゅう先生が語る「愛らしポイント」

小型なクワガタムシではあるのですが、大アゴの形がとてもカッコよく、ずっと見ていられます。またツヤのある体も素敵です。

成虫でも越冬できるクワガタムシ

コクワガタ

学名　*Dorcus rectus*

分類　コウチュウ目・クワガタムシ科

体長　オス18～54mm、メス22～30mm

地域　北海道、本州、四国、九州

森林

河川敷

探索レベル

レア度　★★★★★

採集難易度　★★★★★

大きなオスは立派な大アゴを持つ！

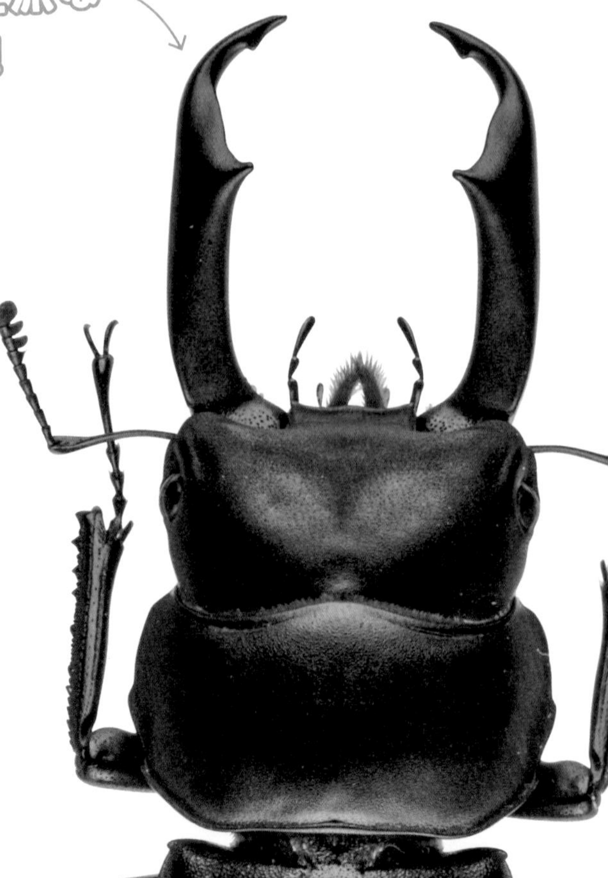

どんな特徴があるの？

最もふつうに見られるクワガタムシです。平地から標高の高い場所まで生息しており、夏には樹液にも灯りにもやってきます。

探索時のコツ

身近な森でも冬場に朽ち木をくずすと、冬越し中の成虫や幼虫を観察することができます。

しゅう先生が語る「愛らしポイント」

コクワガタは個体によって大アゴの大きさなどが異なり、大きな個体から小さな個体までさまざまです。大きな個体はコクワガタとは思えないほどの見応えがあります。

腹側が赤いのが目印

アカアシクワガタ

学名 *Dorcus rubrofemoratus*

分類 コウチュウ目・クワガタムシ科

体長 オス23～59mm、メス25～38mm

地域 北海道、本州、四国、九州

森林

探索レベル

レア度 ★★★★★

採集難易度 ★★★★★

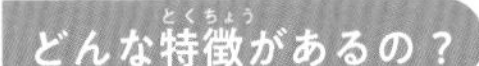

どんな特徴があるの？

上から見ると真っ黒でコクワガタのようですが、裏側を見ると腹と足の一部が赤くなっており、コクワガタとは全くちがうことがすぐにわかります。標高の高いすずしい場所や北日本などに多く生息しています。

探索時のコツ

標高が高めな森に行き、冬に朽ち木などを割ると、成虫を見つけることができるかもしれません。ただ、ほとんどが幼虫の段階で越冬するため、成虫の姿を見るのは難易度が高いです。

しゅう先生が語る

「愛らしポイント」

腹側が赤いクワガタはなかなかいないので、初めて見た人は絶対に驚くことまちがいなし！ ぜひ実物を見てほしいです。

名前の通りチビなクワガタムシ

チビクワガタ

学名 *Figulus binodulus*

分類 コウチュウ目・クワガタムシ科

体長 9～16mm

地域 本州、四国、九州

森林

探索レベル

レア度 ★★★★★

採集難易度 ★★★★★

どんな特徴があるの？

その名の通り、とても小さなクワガタムシですが、れっきとしたクワガタムシで、大アゴも持っています。なんと成虫が幼虫の子育てをするという習性もあります。

探索時のコツ

冬場でも朽ち木を割ると観察することができます。平地から山地の森に暮らしています。

しゅう先生が語る

「愛らしポイント」

多くのクワガタムシのオスはメスに比べて大きな大アゴを持ちますが、チビクワガタのオスとメスは一見、ほとんど同じ見た目をしており、細かく観察しないと見分けることができません。

冬に活動する糞虫

ネグロマグソコガネ

学名	*Aphodius pallidiligonis*
分類	コウチュウ目・コガネムシ科
体長	3～5mm
地域	本州、九州

森林

どんな特徴があるの？

動物のフンを食べるコガネムシの一種で、黒い体に黄色い模様があります。多くのコガネムシが春から秋の間に活動するのに対して、この種類は秋の終わりから春の始めまでの寒い時期に活動します。

探索時のコツ

冬に森の中に入り、シカなどのフンを見つけたら、ピンセットなどでフンやその周辺にいないかを探してみましょう。

しゅう先生が語る「愛らしポイント」

ネグロマグソコガネをはじめ、冬に活動するマグソコガネの仲間はいくつも存在し、「冬マグソ」と呼ばれます。多くの昆虫が活動しなくなる冬では、虫好きにとって心強い味方！

赤い模様は警告色

ナナホシテントウ

学名	*Coccinella septempunctata*
分類	コウチュウ目・テントウムシ科
体長	5～9mm
地域	北海道、本州、四国、九州、沖縄

森林

市街地

公園

どんな特徴があるの？

赤に黒の水玉模様の体を持つ、おそらく日本で最も有名なテントウムシ。成虫も幼虫も植物の害虫でもあるアブラムシを食べるので、益虫としても知られています。つまむと、黄色のくさく苦い液を出します。この液を出すことで鳥に食べられないようにしています。

探索時のコツ

他の季節はふつうに飛んでいますが、冬は落ち葉の下などで越冬します。1匹で越冬することもあれば、何匹かでまとまっていることも。ただし、冬でも暖かい日が続くと、出てくることがあります。

しゅう先生が語る「愛らしポイント」

その名の通り、7つの点を持つ愛くるしいテントウムシです。ヨーロッパではこの7つの星は聖母マリアの「7つの喜びと悲しみ」を意味すると考えられています。

成虫で越冬できるトンボ

オツネントンボ

学名 *Sympecma paedisca*

分類 トンボ目・アオイトトンボ科

体長 35～41mm

地域 北海道、本州、四国、九州

探索レベル

レア度 ★★★★★

採集難易度 ★★★★★

あわい褐色の体

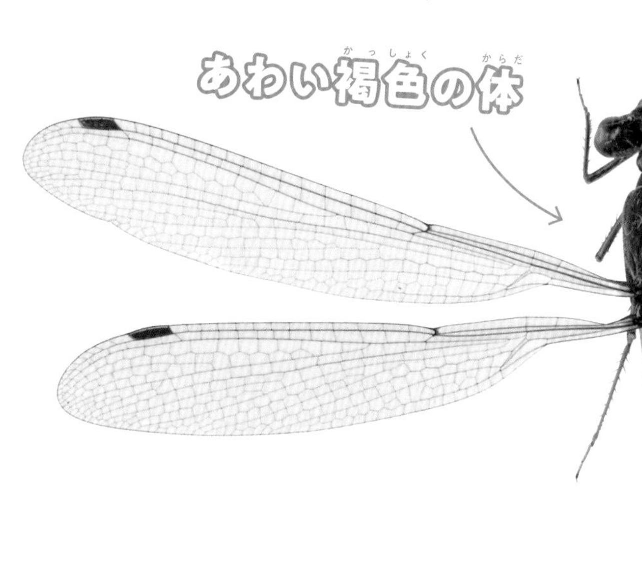

どんな特徴があるの？

イトトンボの一種。オツネントンボのオツネンは「越年」の意味です。多くのトンボは卵か幼虫の状態で冬を越しますが、オツネントンボはその名の通り成虫の状態で冬を越すことができます。

探索時のコツ

冬の間はかれ草ややぶの中、樹皮の下などにひそんでいるので、探してみましょう。地域によっては絶滅危惧種に指定されており、数の減少が心配されています。

しゅう先生が語る

「愛らしポイント」

トンボ好きであれば、冬に生きている成虫のトンボを見たいと一度は思ったことがあるはずです。そんな気持ちに応えてくれるトンボです。

近年、激増中のカメムシ

キマダラカメムシ

学名 *Erthesina fullo*

分類 カメムシ目・カメムシ科

体長 20～23mm

地域 本州、四国、九州、沖縄

市街地

公園

探索レベル

レア度 ★★★★★

採集難易度 ★★★★★

どんな特徴があるの？

黒褐色に薄黄色の模様があるカメムシ。サクラやカキノキ、ウメなどの木にいる姿が多く見られます。元々、台湾や東南アジアに生息していたカメムシで、18世紀後半ごろに長崎で発見されました。その後、日本国内で増え続けており、生息地は拡大し続けています。

探索時のコツ

サクラなどの木にとまっていることが多いです。また、家などの建物の中に入ってくることもあります。現在、東京では最もよく見かけるカメムシのひとつです。

しゅう先生が語る

「愛らしポイント」

あざやかな模様がきれいではあるのですが、外来種なので、増えていくのを見ていると複雑な気持ちになります。

ハートマークがチャームポイント

エサキモンキツノカメムシ

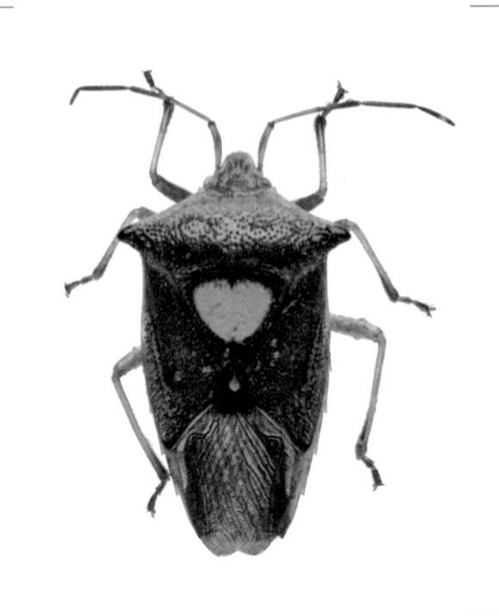

学名 *Sastragala esakii*

分類 カメムシ目・ツノカメムシ科

体長 11～13mm

地域 北海道、本州、四国、九州

森林

公園

探索レベル

レア度 ★★★★★

採集難易度 ★★★★★

どんな特徴があるの？

茶色と緑の体にハートマークを持つかわいらしいカメムシです。ミズキやカラスザンショウなどの汁を吸います。メスには卵と幼虫を守る習性があります。

探索時のコツ

冬の間は、木の皮の下などをのぞいてみると、見つけることができます。夏には、ミズキやカラスザンショウ、ハゼノキなどが多く生えている森で、木の葉の上などにいないか、よく探してみましょう。もしいれば、白いハートマークが目立つので、簡単に見つけられます。

しゅう先生が語る

「愛らしポイント」

数少ないハートマークを持つ昆虫のひとつ。見れば、もしかすると、いいことがあるかも!?

緑色の体に赤い大アゴ

クビキリギス

学名 *Euconocephalus varius*

分類 バッタ目・キリギリス科

体長 55～65mm

地域 北海道、本州、四国、九州、沖縄

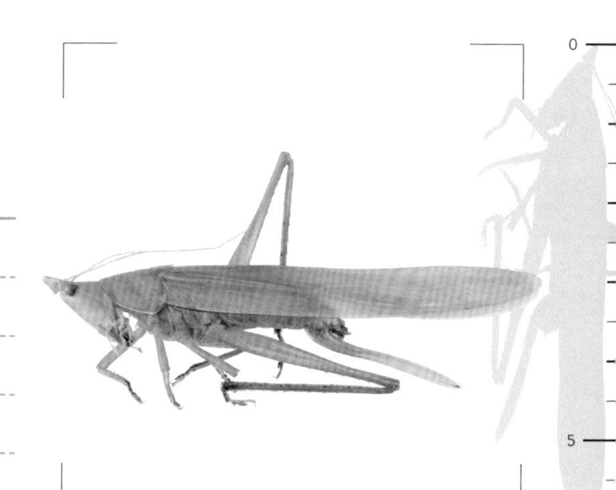

公園

草地

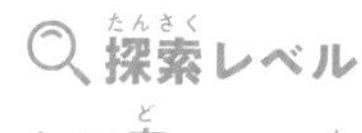

レア度 ★★★★★

採集難易度 ★★★★★

どんな特徴があるの？

キリギリスの仲間で緑色の体を持っているのですが、その顔が衝撃的です。なんと、赤い大アゴを持っており、何か事件を起こしてきたのではないかと心配するレベルです。地域によっては「血吸いバッタ」、「ショウガ食い」、「クチベニ」、「赤口」などの呼び方もあります。

探索時のコツ

クビキリギスはキリギリスの仲間ではめずらしく、成虫のまま冬を越します。かれ草などの中にかくれているので、よく探してみましょう。冬でもたまに気温が高い日には、のこのこ出てきてしまうことも。

冬でもキリギリスの仲間に会えるよ！

しゅう先生が語る「愛らしポイント」

個体によって体の色が異なります。多いのは緑色なのですが、茶色の個体もいますし、なんとピンクの個体も存在するんです。

親子で読みたい
昆虫コラム

虫とりを親子で楽しむ秘訣とは？

よく「親子で虫とり、虫探しを楽しむためにはどうすればいいですか？」と聞かれることがあるのですが、そんな時には「楽しみ方は人それぞれだよ！」と答えています。

子どもが虫とりをしたいと言ったら、最初は近所の公園に行くところから始まりますよね。虫とりに夢中になると、草むらや水の中に入ることもあるはずです。子どもが入りたいと思った所に入らせて、大人は危険がないかどうかをしっかり見守る。最初から制限しすぎると、思うように虫とりできないので、まずは子どものやりたいことを優先して、大人のほうでこっそりサポートするのがいいと思います。

そうやって虫とりしていくうちに、子どもは「こんな虫を見つけたい！」と思うようになります。そうしたら、昆虫図鑑を見て「この虫はどんな所にいるんだろう」というのを調べて、そこをねらっていく。初めて入る場所なら、あらかじめ虫とりに関するルールを大人が調べてあげるといいですよね。

見つけた虫を持ち帰って飼うこともあります。犬や猫などのペットならあらかじめ飼い方を調べて、道具をそろえてから家に迎えるものですが、虫の場合は自分で考えてみるのもいいと思います。ひとまず家に持ち帰り、「何を食べるのかな」とエサなどを試行錯誤して飼ってみるのもアリかと。本で読んだことはすぐ忘れますが、自分で考えて試したことはなかなか忘れないもの。そんな体験は、子どもにとってかけがえのないものだと思います。

中には、親は虫が苦手だけれど、子どもは虫とりしたいというご家庭もあるかもしれません。実はぼくの家庭もそうなんですよ。虫とりが好きなのはぼくだけで、両親も妹もたいして虫は好きじゃないんです。誰にだって苦手なものがあるのは仕方がないし、無理に好きになる必要はないと思います。ぼくだって、ムカデなど６本以上の足のある動物は苦手ですしね。子どもも賢いので、周りの大人が嫌がっていても、自分も怖くなることはないと思いますよ。

ただ、感情と論理は分けたほうがいいと思います。たとえば、子どもに虫を見せられて怖いと思ったら、「やだ、怖い！ ……でも動きが面白いね」「うわー、虫苦手！ でもなんでこんなきれいな色をしているんだろうね」「よく触れるね、すごいね」とか、何かしらポジティブな反応や問いかけをしてあげて、子どもの好奇心を掘り下げてあげられるといいですよね。

まずは手にとって観察してみよう！
これはオオヒョウタンゴミムシ。

⚠危険な昆虫

昆虫の中には、毒針でさしたり、毒液を出したりするものもあります。虫とりの時にそんな昆虫に出会ったら要注意！　痛い思いをしないよう、そっとその場を離れましょう。代表的な危険な昆虫をご紹介します。

世界最大・世界最強のスズメバチ

オオスズメバチ

学名　*Vespa mandarinia*

分類　ハチ目・スズメバチ科

体長　働きバチ27～40mm、女王バチ40～45mm

地域　北海道、本州、四国、九州

森林

公園など

探索レベル

レア度　★☆☆☆☆

危険度　★★★★★

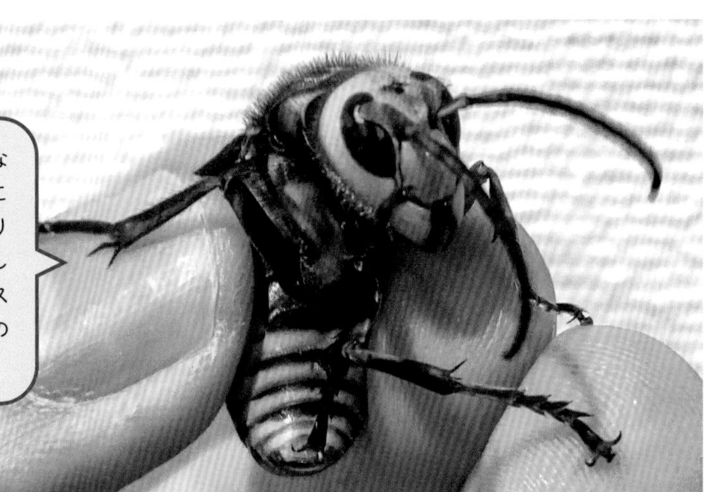

「オオスズメバチをつかんで大丈夫なの!?」とびっくりする写真ですが、これはオスです。よ～く見ると、おしりに毒針がないので、つかまえてもさしません。でも、慣れていない人はオスとメスをすぐに見分けるのは難しいので、よい子はマネしないでね！

どんな特徴があるの？

言わずと知れた危険昆虫。大型のスズメバチで、気性も荒いです。土の中や木の穴などに巣を作ります。幼虫は働きバチが作った昆虫の肉団子を食べ、成虫は樹液や花の蜜などをエサにしています。

どう危ないの？

メスは毒針を持っており、人間をさしてきます。さされると、非常に強い痛みを感じますし、毒も強いため、はれ上がります。体質にもよりますが、さされるとアナフィラキシーショックを起こすこともあります。しかし、オスは毒針を持っておらず、手に持ってもさしてくることはありません。

家の中に入ってくることもある

キイロスズメバチ

学名 *Vespa simillima*

分類 ハチ目・スズメバチ科

体長 働きバチ17～26mm、女王バチ24～26mm

地域 北海道、本州、四国、九州

森林

公園など

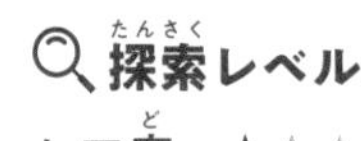

探索レベル

レア度 ★☆☆☆☆

危険度 ★★★★★

どんな特徴があるの？

スズメバチの一種で、他のスズメバチとは模様などで見分けることができます。軒下や屋根裏などにも巣を作る習性があり、注意が必要です。知らず知らずのうちに家の中に入ってきてしまうこともあります。

どう危ないの？

キイロスズメバチの巣はオオスズメバチなどに比べるとわかりやすい場所にできることが多いのですが、むやみに攻撃したりするのは絶対にやめましょう。

都会にもたくさんいる

キアシナガバチ

学名 *Polistes rothneyi iwatai*

分類 ハチ目・スズメバチ科

体長 17～25mm

地域 北海道、本州、四国、九州 ※沖縄にも他の亜種が分布しています

森林

公園

市街地

探索レベル

レア度 ★☆☆☆☆

危険度 ★★★★☆

どんな特徴があるの？

黒と黄色模様のアシナガバチの一種で、日本で最も大きなアシナガバチです。気性は荒く、毒性も強いです。庭木や軒下などに巣を作ります。

どう危ないの？

キアシナガバチも毒針で人間をさしてくることがあります。オオスズメバチほどではありませんが、強い毒性を持っており、さされると、非常に強い痛みを感じます。街中にも多い種類なので、十分気をつけましょう。

とても愛らしい顔を持つ

クマバチ

学名 *Xylocopa appendiculata*

分類 ハチ目・ミツバチ科

体長 18～25mm

地域 北海道、本州、四国、九州

森林

公園など

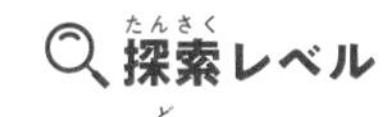
探索レベル

レア度 ★☆☆☆☆

危険度 ★★★☆☆

どんな特徴があるの？

黄色と黒の体を持っており、よく見ると目が大きくとてもかわいらしいです。また、ホバリングしている姿をよく見かけます。オスとメスは顔を見分けることができ、オスは顔に黄色い三角形のマークがあります。さすのはメスのみですが、温厚な性格で人間をさすことはほとんどありません。

どう危ないの？

クマバチのオスはささないので、よく手にふれられる機会が多いです。しかし、まちがえてメスをさわろうとしてしまうとさされてしまうので、十分に気をつけるようにしましょう。

濃厚でコク深い蜜を作る

ニホンミツバチ

学名 *Apis cerana japonica*

分類 ハチ目・ミツバチ科

体長 働きバチ10～13mm、女王バチ13～17mm

地域 本州、四国、九州

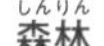
森林

公園など

探索レベル

レア度 ★☆☆☆☆

危険度 ★★★☆☆

どんな特徴があるの？

黒と黄色のミツバチですが、よく見かけるセイヨウミツバチより暗めの色をしています。街中や公園などで見られますが、近年はその数が減ってきているようです。攻撃しない限り基本的にさされませんが、時には天敵のスズメバチを集団で囲み、熱で殺すことも。

どう危ないの？

巣を見つけても、たたいたり攻撃しないようにしましょう。ニホンミツバチは一度人間をさすと、その個体は死んでしまいますが、巣を守るために身を犠牲にしてさしにくることもあります。特有のにおいがつくので、他のミツバチにもおそわれやすくなります。

夜の森の灯りに注意

アオカミキリモドキ

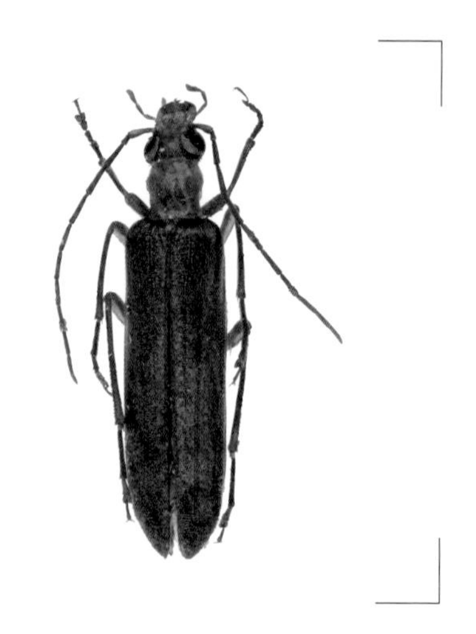

学名 *Nacerdes waterhousei*

分類 コウチュウ目・カミキリモドキ科

体長 11～15mm

地域 北海道、本州、四国、九州

森林

探索レベル

レア度 ★★☆☆☆

危険度 ★★★☆☆

どんな特徴があるの？

青緑色とオレンジ色の美しいカミキリモドキの一種です。美しいのでさわりたくなるかもしれませんが、危険を感じると毒が入った透明の液体を出します。夏に現れ、昼間にはさまざまな種類の花、夜には灯りにも集まる習性があるため、よく注意しましょう。

どう危ないの？

アオカミキリモドキが出す毒が皮ふに付くと、痛みを感じ、水ぶくれになってしまうこともあります。もし、アオカミキリモドキが服などにとまったら、体液を出されないようにティッシュなどでそっと取り除きましょう。

やけど虫という別名も

アオバアリガタハネカクシ

学名 *Paederus fuscipes*

分類 コウチュウ目・ハネカクシ科

体長 6～8mm

地域 北海道、本州、四国、九州、沖縄

草地　公園　湿地　農地

探索レベル

レア度 ★☆☆☆☆

危険度 ★★☆☆☆

どんな特徴があるの？

黒とオレンジ色の「ハネカクシ」の一種。じめじめした場所に多く生息しており、庭や畑などで見かけることも多いです。

どう危ないの？

体をつぶすなどして体液が皮ふに付くと、数時間後に赤くなって水ぶくれができ、痛みが長続きすることがあります。皮ふがやけどのような症状になるため、「やけど虫」と呼ばれることもあります。

するどい口でブスッとさす！

オオトビサシガメ

学名	*Isyndus obscurus*
分類	カメムシ目・サシガメ科
体長	20～27mm
地域	本州、四国、九州

草地

森林

探索レベル

レア度 ★★☆☆☆

危険度 ★★★☆☆

どんな特徴があるの？

褐色で大型のカメムシの一種。肉食で、小さな生き物をするどい口でさし、毒液を流しこんで体液を吸うというおそろしい習性の持ち主です。山地の日当たりの良い草木の上で見かけることがよくあります。

どう危ないの？

するどい口を人間の皮ふにつきさしてくることがあります。ぼくも以前、草むらで昆虫探索をしていて、不意にオオトビサシガメをさわってさされてしまい、その数日間、はれが残ってしまいました。

レアな危険昆虫

コバンムシ

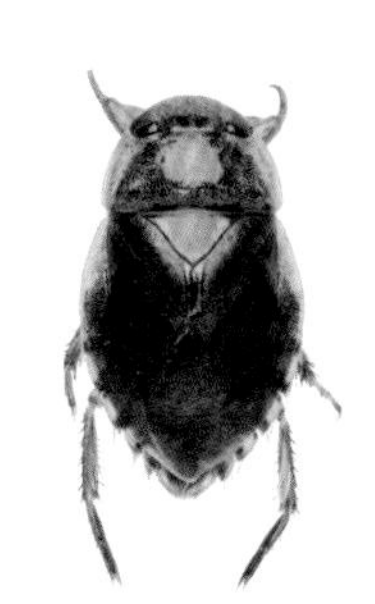

学名	*Ilyocoris cimicoides*
分類	カメムシ目・コバンムシ科
体長	11～13mm
地域	本州、九州

水辺

探索レベル

レア度 ★★★★☆

危険度 ★☆☆☆☆

どんな特徴があるの？

水の中に生息しているカメムシの一種で、体の色は緑色です。実は各地で絶滅危惧種に指定されていて、かなりレアな危険昆虫です。

どう危ないの？

小さい体で緑色の体をしているのですが、油断しているとさされることがあります。ぼくも中学2年生のころ、あこがれのコバンムシと初めて会えた時にさされ、大きな声で「いたあぁ!!」と言ってしまいました。

最近話題の危険昆虫

ヒラズゲンセイ

学名　*Synhoria maxillosa*

分類　コウチュウ目・ツチハンミョウ科

体長　18～30mm

地域　本州、四国、九州、沖縄

森林

公園

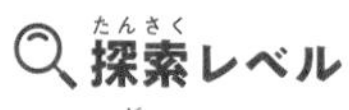

探索レベル

レア度　★★★☆☆

危険度　★★★☆☆

どんな特徴があるの？

真っ赤な体を持ち、オスにはまるでクワガタムシのような大アゴがあります。クマバチ(P119)の巣に寄生する習性があり、近年はその分布が広がりつつあります。

どう危ないの？

危険を感じると、足から黄色い汁を出し、これが皮ふにつくと、はれ上がってしまいます。非常にカッコいい見た目をしているため、さわりたくなるかもしれませんが、くれぐれも注意してください。

青くかがやく危険昆虫

ヒメツチハンミョウ

学名　*Meloe coarctatus*

分類　コウチュウ目・ツチハンミョウ科

体長　7～23mm

地域　本州、四国、九州

草地

森林

探索レベル

レア度　★★☆☆☆

危険度　★★★☆☆

どんな特徴があるの？

瑠璃色にかがやく体が特徴。飛ぶことはできませんが、いざという時に毒を出します。成虫はマメ科の植物の葉を食べ、幼虫はハナバチの仲間の巣にもぐりこみ、ハナバチが幼虫のために作った花粉の団子を食べます。

どう危ないの？

危険を感じると、脚から黄色い毒液を出して、身を守ろうとします。その液が皮ふに付くと、皮ふがただれてしまうので注意しましょう。

親子で読みたい
昆虫コラム

しゅう先生が語る 昆虫の魅力

昆虫の魅力は何かと聞かれれば、ぼくは「種類が多いこと」だと答えます。地球上の見つかっている生物のほとんどが昆虫で、見つかっていないものを入れると2000万種はいると言われていて、もっと多い可能性もあります。ぼくは新種を発表したこともありますが、実はそこまですごいことではないと思っています。だって世界中の昆虫の9割以上が新種なんですよ。昆虫は世界中どこにもいます。身近な場所はもちろん、日本から見ると地球の裏側の南米にもいますし、南極や北極にもいるんです。地球上どこへ行っても虫とりが楽しめるなんて、こんなに楽しいことはないと思いませんか？

数ある昆虫の中でぼくが魅力的だと感じるのは、まずはゲンゴロウ。それからカミキリムシですね。カミキリムシは白と黒のまだらになっているゴマダラカミキリが有名ですが、実はカミキリムシだけで日本に900種類以上いるんです。さまざまな色のものがいるし、なかにはハチに擬態して体を守るものもいて、とにかく多様性があるのが面白いです。だから、カミキリムシマニアって本当に多いんですよ。ぼくが大学院で研究しているのがチョウの仲間です。チョウは羽でいろいろな所に飛んでいき、とても移動能力が高いので、その時々で分布がどんどん変わっていくのが面白いと感じています。

ぼくが虫とりに夢中になるのは、とれるとともかくうれしいから。本当に頭も体も使いますし、毎回ちがう発見があります。「こういう天気でこういう場所でないとこの虫はいない」など、全てのコンディションが整わないと虫を見つけられないところが面白いんですよね。でも、生き物なので例外もあります。「なぜここでこの虫がとれるんだ／とれないんだ」という例外があった時は、必ず「天気がこうだったから」など、理由を探ります。それを考えていくのも面白いと感じるポイントです。

しゅう先生が発表したホソカタムシの新種

未知なる場所に行って、見たこともない昆虫を探すという楽しさもあります。大学時代、思いきってニュージーランドに住んでみたこともありました。あえてそこの虫をあまり調べずに行ってみたら、自分の知らない昆虫だらけで頭が追いつかなくなり、ものすごく興奮したことを覚えています。今でも自分の想像を超えてくる昆虫が現れると、手や体がものすごくふるえます。まだまだ自分の把握できていない虫がいるから、昆虫探索はやめられないんです。

昆虫図鑑さくいん

この本に登場する昆虫たちが、あいうえお順に並んでいます。右の数字はのっているページ数です。

参考文献（さんこうぶんけん）

『小学館の図鑑NEO 新版 昆虫』小池啓一・小野展嗣・町田龍一郎・田辺 力 著・監修／小学館
『日本昆虫目録 第3巻 直翅系昆虫類』旭和也・市川顕彦・伊藤元・冨永修・中峰空・中村剛之・西川勝・花田聡子 共編／櫂歌書房
『日本産蛾類大図鑑』井上寛・杉繁郎・黒子浩・川辺湛・大和田守 著／講談社
『日本昆虫目録 第7巻 鱗翅目 第1号』猪又敏男・植村好延・矢後勝也・神保宇嗣・上田恭一郎 共編／櫂歌書房
『日本産オサムシ図説』井村有希・水沢清行 著／昆虫文献六本脚
『原色日本甲虫図鑑（II）』上野俊一・黒澤良彦・佐藤正孝 編著／保育社
『日本産カミキリムシ』大林延夫・新里達也 著／東海大学出版
『日本産コガネムシ上科図説 第1巻 食糞群』川井信矢・堀繁久・河原正和・稲垣政志 編著／昆虫文献六本脚
『日本産水生昆虫 科・属・種への検索』川合禎次・谷田一三 共編／東海大学出版
『日本産蛾類標準図鑑 I』岸田泰則 編／学研
『日本産蛾類標準図鑑 II』岸田泰則 編／学研
『原色日本甲虫図鑑（III）』黒澤良彦・久松定成・佐々治寛之 編著／保育社
『日本産コガネムシ上科図説 第2巻 食葉群I』酒井香・藤岡昌介 著、稲垣政志 写真／昆虫文献六本脚
『日本産ハナバチ図鑑』多田内修・村尾竜起 編／文一総合出版
『ポプラディア大図鑑WONDA（1）』寺山守 監修／ポプラ社
『日本原色カメムシ図鑑』友国雅章 監修 安永智秀・高井幹夫・山下泉・川村満・川澤哲夫 著／全国農村教育協会
『日本昆虫目録 第2巻 旧翅類』中村剛之・枝 重夫・笹本彰彦 共編／櫂歌書房
『原色日本甲虫図鑑（IV）』林 匡夫・森本 桂・木元新作 編著／保育社
『日本昆虫目録 第4巻 準新翅類』林 正美・友国雅章・吉澤和徳・石川 忠 共編／櫂歌書房
『日本産セミ科図鑑』林 正美・税所康正 著／誠文堂新光社
『世界のクワガタムシ大図鑑』藤田宏 著／むし社
『日本のゲンゴロウ』森 正人・北山 昭 著／文一総合出版

おわりに

みなさん、虫とりは楽しんでいますか？ぼくは昆虫の前にはすべての人が平等だと思っています。大人も子どもも等しく楽しめるのが虫とりだと信じています。

実は、子どもが虫とり網を持って走り回る国って日本くらいなものだって知っていましたか？ もちろん、虫の柄がデザインされた服は外国にもあるでしょうし、食べるため、生活のために虫をとる国もあるかもしれません。でも、「夏休みは子どもがカブトムシを探しに行って、ペットとして家で飼う」なんて文化は日本ならではなんです。虫とりをしたり、虫が遊び相手になったりするというのは、世界に誇れる日本の文化なのかもしれません。

ぼくは本当に昆虫に愛情を持って関わったり、接したりするのは、さまざまな場面で役立ってくると思います。でも、そんな難しいことは考えずに虫とり網を持って、これからもどんどん昆虫に親しんでいってほしいと思います。この本がその役に立てる存在になればうれしいです。

牧田習

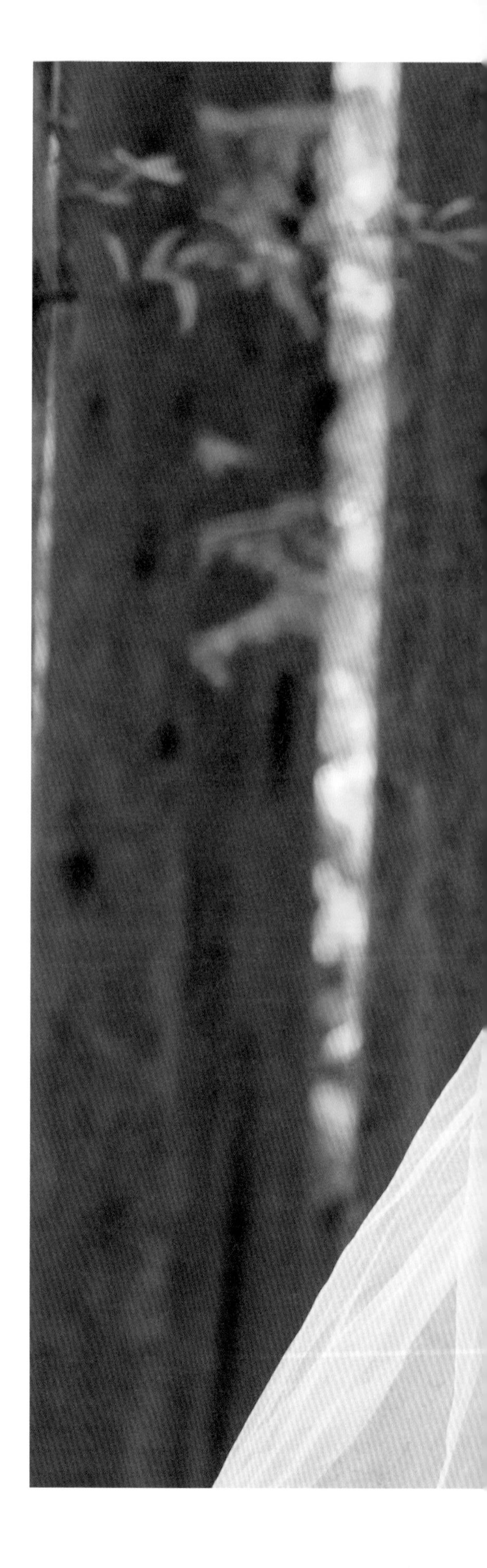

著者 牧田 習

Instagram

X

HP

1996年10月14日生まれ。兵庫県宝塚市出身。オスカープロモーション所属。幼少の頃に出会ったミヤマクワガタに魅了され、昆虫好きの道へ。北海道大学理学部数学科に進学したのち、現在は東京大大学院農学生命科学研究科の博士課程で学ぶ。昆虫研究者としても活躍し、数種類の新種を発見している。子どもたち向けの昆虫教室などのイベントも開催し、タレント活動を通して昆虫の魅力を発信する。NHK「ダーウィンが来た！」や日本テレビ「アナザースカイ」など多数のメディアで活躍中。

昆虫図鑑監修／北海道大学総合博物館 教授・大原昌宏

JSPS特別研究員、小樽市博物館学芸員、北海道大学大学院農学研究科助手、北海道大学総合博物館准教授を経て、2011年より現職。北海道大学大学院農学研究科博士課程単位取得退学、博士（農学）。日本昆虫学会、日本甲虫学会 元会長。対象分類群はコウチュウ目エンマムシ科。分類学の人材育成としてパラタクソノミスト養成講座を推進中。
HP　https://www.museum.hokudai.ac.jp/ohara/

撮影協力	神奈川県立 生命の星・地球博物館　那須昆虫ワールド
装丁・本文デザイン	眞柄花穂　石井志歩（Yoshi-des.）
撮影	日野道生　齊藤美春
編集協力	今井明子
企画・編集	東條 魁

昆虫ハンター・牧田 習と
親子で見つけるにほんの昆虫たち

2024年7月1日　初版第1刷発行

著者　牧田 習
発行者　廣瀬和二
発行所　株式会社日東書院本社
〒113-0033 東京都文京区本郷1丁目33番13号 春日町ビル5F
TEL：03-5931-5930（代表）
FAX：03-6386-3087（販売部）
URL：https://www.TG-NET.co.jp
印刷・製本　TOPPANクロレ株式会社

ISBN 978-4-528-02459-5 C0045